Michael Landgraf

# Kinder-Bibel

## zum Selbstgestalten

**Calwer Verlag Stuttgart – Deutsche Bibelgesellschaft Stuttgart**

Bibliografische Information der Deutschen Bibliothek

Die Deutsche Bibliothek verzeichnet diese
Publikation in der Deutschen Nationalbibliografie;
detaillierte bibliografische Daten sind im Internet
über *https://www.dnb.de* abrufbar.

ISBN 978-3-7668-3951-0 (Calwer Verlag)
ISBN 978-3-438-04048-0 (Deutsche Bibelgesellschaft)

5. Auflage 2022
© 2007 by Calwer Verlag, Stuttgart und
Deutsche Bibelgesellschaft, Stuttgart
Alle Rechte vorbehalten. Wiedergabe, auch
auszugsweise, nur mit Genehmigung der Verlage.
Redaktion: Eva Mündlein, Hannelore Jahr
Umsetzung der Grafikideen: Angelica Guckes
Umschlaggestaltung: Karin Sauerbier, Stuttgart
Satz: NagelSatz, Reutlingen
Herstellung: Karin Class, Calwer Verlag
Druck und Verarbeitung: AZ Druck und Datentechnik, Kempten

www.calwer.com
www.die-bibel.de

Die Texte auf den Seiten 70 und 121 sind entnommen aus:
Lutherbibel, revidiert 2017, © 2016 Deutsche Bibelgesellschaft,
Stuttgart
Die Texte auf den Seiten 55, 69, 71, 73, 86, 117, 118, 119, 122,
146, 158 in Anlehnung an: Gute Nachricht Bibel, durchgesehene
Ausgabe, © 2000 Deutsche Bibelgesellschaft, Stuttgart

Bei Namen und Orten wurde durchgängig die ökumenische
Schreibweise nach den Loccumer Richtlinien verwendet.
Auswahl der Bibeltexte auf der Grundlage aller bundesdeutschen
Lehrpläne.

Abnahme größerer Stückzahlen (10/25/50 Exemplare) zu
Staffelpreisen.
Die »Kinder-Bibel zum Selbstgestalten« ist unter dem Titel
»Make-Your-Own Children's Bible« auch in englischer Über-
setzung erhältlich.
ISBN 978-3-7668-3954-1 (Calwer Verlag)
ISBN 978-3-438-04050-3 (Deutsche Bibelgesellschaft)

Zur »Kinder-Bibel zum Selbstgestalten« gibt es ein Begleitheft
(32 Seiten).
ISBN 978-3-7668-3952-7 (Calwer Verlag)
ISBN 978-3-438-04049-7 (Deutsche Bibelgesellschaft)

# Inhalt

## Geschichten aus dem Alten Testament

# Geschichten aus dem Neuen Testament

# Geschichten aus dem Alten Testament

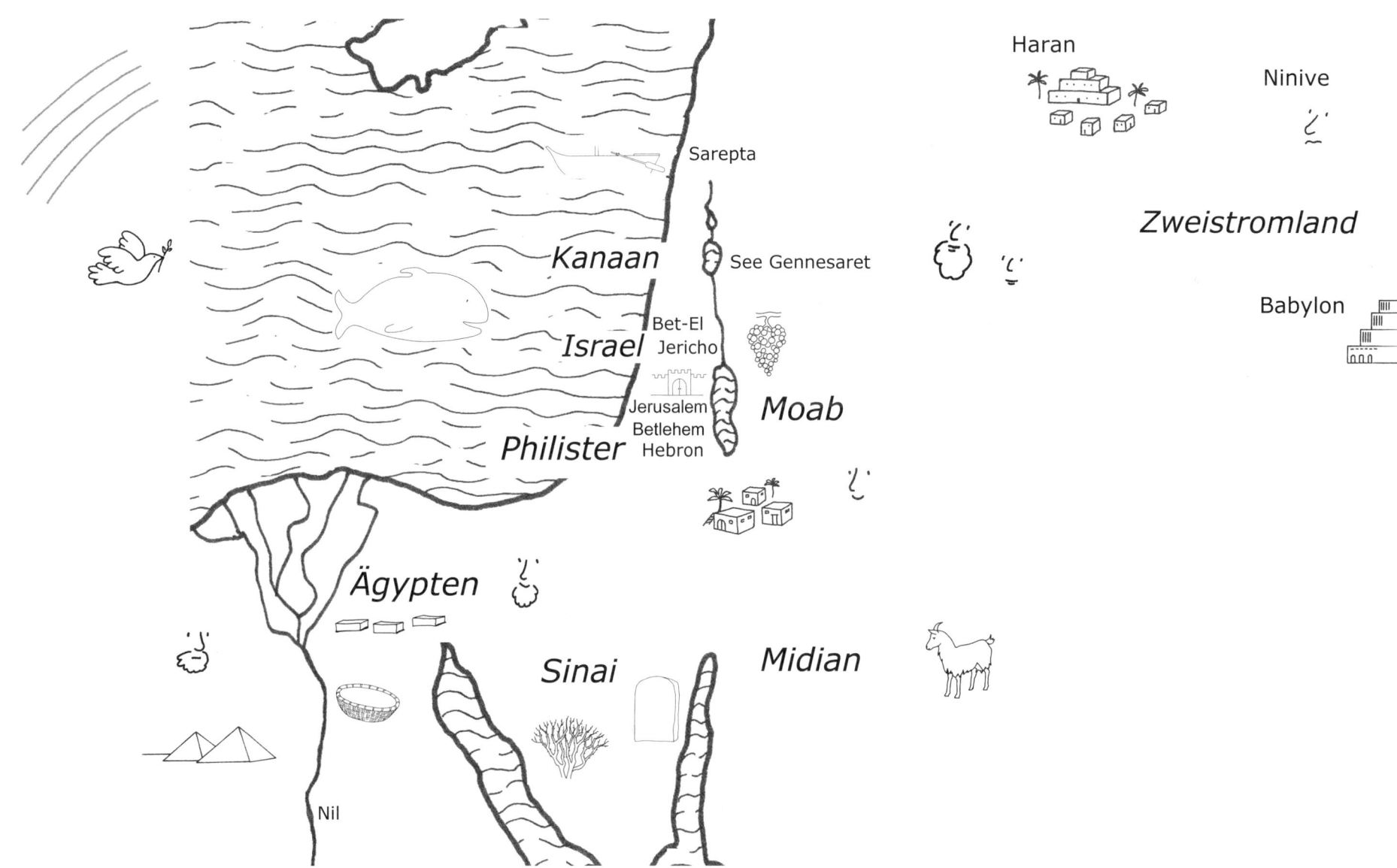

Haran

Ninive

Sarepta

Zweistromland

Kanaan

See Gennesaret

Babylon

Bet-El
Jericho

Israel

Moab

Jerusalem
Betlehem
Hebron

Philister

Ägypten

Sinai

Midian

Nil

## Am Anfang

Am Anfang macht Gott die ganze Welt.
Er macht das Licht und die Dunkelheit. Gott spricht:
„Oben soll der Himmel sein, unten festes Land.

Das Land soll von Meer umgeben sein." Dann sieht
er alles an und sagt: „Das ist gut."

Michael Landgraf, Kinder-Bibel zum Selbstgestalten. © 2007 Calwer Verlag / Deutsche Bibelgesellschaft, Stuttgart ³2011

## Gott macht Pflanzen und Tiere

Gott macht die Pflanzen. Er lässt die Bäume, die Sträucher und die Blumen wachsen. Er setzt die Sonne, den Mond und die Sterne an den Himmel.

Dann macht Gott die Tiere im Wasser, in der Luft, auf dem Feld und im Boden. Er macht alle Lebewesen, die es auf der Erde gibt.

Michael Landgraf, Kinder-Bibel zum Selbstgestalten. © 2007 Calwer Verlag / Deutsche Bibelgesellschaft, Stuttgart ³2011

## Gott macht die Menschen

Nun macht Gott die Menschen. Er macht sie als Mann und Frau. Sie sollen ihm ähnlich sein.
Gott sieht die Welt an und spricht: „Alles ist gut."

Dann sagt er zu den Menschen: „Ich vertraue euch alles an. Passt gut auf alle Tiere und Pflanzen auf."
Am Ende ruht er sich aus. So schenkt er auch den Menschen einen Tag zum Ruhen.

Michael Landgraf, Kinder-Bibel zum Selbstgestalten. © 2007 Calwer Verlag / Deutsche Bibelgesellschaft, Stuttgart ³2011

## Im Garten Eden

Am Anfang leben die Menschen in einem wunderbaren Garten. Das ist der Garten Eden. Sie wohnen friedlich mit allen Tieren zusammen.
In der Mitte des Gartens steht ein Baum. Er trägt besondere Früchte. Wer von ihnen isst, wird so klug wie Gott. Er weiß dann, was gut und was böse ist.
Aber Gott sagt: „Keiner darf von dem Baum essen."

## Die Menschen verlassen den Garten Eden

In dem Garten lebt eine Schlange. Listig sagt sie zu den Menschen: „Wollt ihr nicht so klug sein wie Gott?" Da essen die Menschen Früchte von dem Baum. Nun merken sie, dass sie nackt sind. Sie schämen sich und verstecken sich vor Gott.

Gott ruft die Menschen und sagt: „Warum habt ihr nicht auf mich gehört?" Dann gibt er ihnen Kleider und schickt sie aus dem Garten fort. Von nun an müssen sie für sich selbst sorgen und hart arbeiten.

   Michael Landgraf, Kinder-Bibel zum Selbstgestalten. © 2007 Calwer Verlag / Deutsche Bibelgesellschaft, Stuttgart ³2011

## Kain und Abel

Die Menschen bekommen zwei Söhne. Sie heißen Kain und Abel. Kain ist ein Bauer und Abel ist ein Hirte. Kain und Abel bringen Gott ein Opfer. Gott nimmt das Opfer von Abel an. Abels Tiere bekommen viele Junge. Aber Kains Felder vertrocknen. Da wird Kain wütend und erschlägt seinen Bruder.

Gott ruft ihn: „Kain, wo ist dein Bruder Abel?" Kain sagt: „Ich weiß es nicht. Bin ich etwa Abels Aufpasser?" Da sagt Gott: „Du hast großes Unrecht getan. Zur Strafe wirst du als Flüchtling umherziehen. Doch ich werde bei dir sein und dich beschützen."

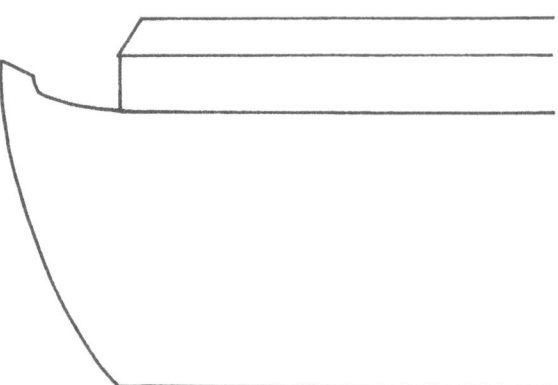

## Noah und die Arche

Gott hat alles gut gemacht. Aber die Menschen tun schlimme Dinge. Nur Noah ist ein guter Mensch. Gott sagt zu Noah: „Die Menschen sind böse. Darum schicke ich eine große Flut. Aber dich verschone ich. Baue einen großen Kasten. Dieser Kasten soll Arche heißen. Nimm deine Familie und von allen Tieren ein Paar mit an Bord." Da baut Noah die große Arche, wie Gott es ihm aufgetragen hat. Ein Paar von allen Tieren geht mit ihm hinein.

Michael Landgraf, Kinder-Bibel zum Selbstgestalten. © 2007 Calwer Verlag / Deutsche Bibelgesellschaft, Stuttgart ³2011

## Die Sintflut

Dann fängt es an zu regnen. Vierzig Tage und Nächte lang kommt Wasser vom Himmel. Alle Brunnen, alle Flüsse und Seen laufen über.

Das Wasser steigt immer höher. Bald ist kein Land mehr zu sehen. Aber die Arche schwimmt sicher auf den Wellen.

## Zweig der Hoffnung

Nach vielen Tagen lässt Noah Raben und Tauben fliegen. Sie sollen nach trockenem Land suchen.

Eine Taube kommt zurück. Sie hat einen Zweig im Schnabel. Alle freuen sich und jubeln: „Sie hat Land gefunden! Wir sind gerettet."

Michael Landgraf, Kinder-Bibel zum Selbstgestalten. © 2007 Calwer Verlag / Deutsche Bibelgesellschaft, Stuttgart ³2011

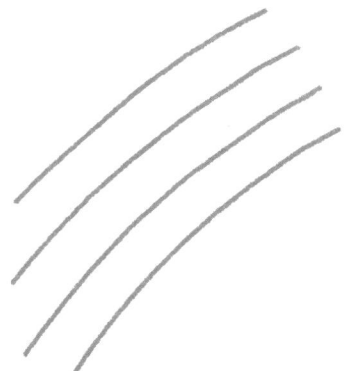

## Der Regenbogen

Es regnet nicht mehr. Bald ist das Wasser abgelaufen. Noah und seine Familie danken Gott. Er hat die Menschen und Tiere in der Arche gerettet.

Gott sagt: „Nie wieder will ich die Erde zerstören. Der Regenbogen am Himmel ist ein Zeichen für den Bund mit euch. Er erinnert an mein Versprechen und sagt euch: Ich bin euer Freund."

Michael Landgraf, Kinder-Bibel zum Selbstgestalten. © 2007 Calwer Verlag / Deutsche Bibelgesellschaft, Stuttgart ³2011

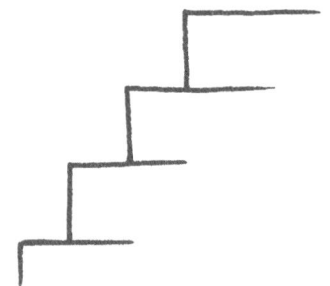

## Der Turm in Babel

Die Menschen in der Stadt Babel wollen die Größten sein. Sie bauen einen hohen Turm. Bis zum Himmel soll er reichen.
Gott sagt: „Wohin soll das noch führen? Der Turm darf nicht fertig werden. Von nun an sollen die Menschen verschiedene Sprachen sprechen. Dann verstehen sie sich nicht mehr."
So geschieht es. Der Turm wird nicht weitergebaut. Die Menschen gehen auseinander und verteilen sich über die ganze Erde.

 Michael Landgraf, Kinder-Bibel zum Selbstgestalten. © 2007 Calwer Verlag / Deutsche Bibelgesellschaft, Stuttgart ³2011

## Abraham und Sara

Abraham und seine Frau Sara wohnen in der Stadt Haran. Da sagt Gott zu Abraham: „Ziehe mit Sara fort von hier. Ich führe euch in ein neues Land. Du wirst viele Nachkommen haben und überall bekannt sein."

Abraham und Sara vertrauen Gott.
Sie machen sich mit ihrer Herde und den Hirten auf den Weg. Auch ihr Neffe Lot zieht mit ihnen.

Michael Landgraf, Kinder-Bibel zum Selbstgestalten. © 2007 Calwer Verlag / Deutsche Bibelgesellschaft, Stuttgart ³2011

## Kein Streit soll zwischen uns sein

Gott führt Abraham, Sara und Lot in das Land Kanaan. Doch die Hirten von Abraham und Lot bekommen immer wieder Streit.
Es gibt nicht genügend Wasser und Gras für die vielen Tiere.

Da sagt Abraham zu Lot: „Es soll kein Streit zwischen uns sein. Am besten trennen wir uns. Du kannst dir aussuchen, wohin du gehen willst."
Lot geht zum Fluss Jordan. Dort ist das Land fruchtbar. Abraham bleibt bei der Stadt Hebron.

Michael Landgraf, Kinder-Bibel zum Selbstgestalten. © 2007 Calwer Verlag / Deutsche Bibelgesellschaft, Stuttgart ³2011

## So zahlreich wie die Sterne

Abraham und Sara sind im Land Kanaan. Das Land gefällt ihnen gut. Aber sie sind auch traurig, denn sie haben keine Kinder. Abraham und Sara sind schon sehr alt.

Gott sagt: „Seht hinauf zu den Sternen. Könnt ihr sie zählen? So viele Nachkommen werdet ihr haben." Abraham und Sara vertrauen Gott.

Michael Landgraf, Kinder-Bibel zum Selbstgestalten. © 2007 Calwer Verlag / Deutsche Bibelgesellschaft, Stuttgart ³2011

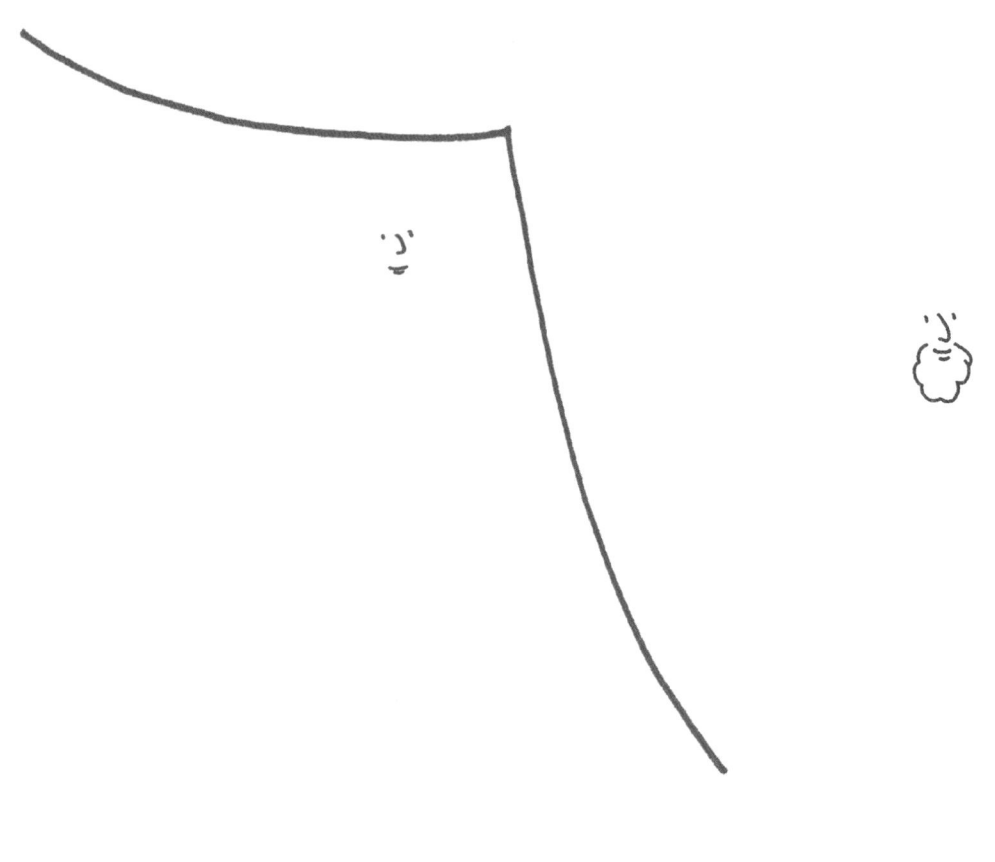

## Abraham und Sara bekommen Isaak

Drei Männer besuchen Abraham und Sara. Es sind Boten Gottes. Sara bereitet im Zelt das Essen für sie zu. Die Männer sitzen bei Abraham und sagen: „In einem Jahr hat Sara ein Kind." Sara hört das. Sie lacht: „Wie soll das gehen? Ich bin doch viel zu alt!" Doch Sara wird schwanger und bringt einen Sohn zur Welt. Er heißt Isaak. Nun sind Abraham und Sara glücklich. Sie wissen: Für Gott ist nichts unmöglich.

Michael Landgraf, Kinder-Bibel zum Selbstgestalten. © 2007 Calwer Verlag / Deutsche Bibelgesellschaft, Stuttgart ³2011

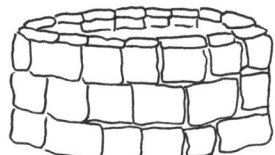

## Eine Frau für Isaak

Isaak ist erwachsen. Da sagt Abraham: „Mein Sohn soll eine Frau haben." Er schickt einen Diener nach Haran. Dort soll er für Isaak eine Frau suchen. In Haran setzt sich der Diener an einen Brunnen.

Da kommt eine junge Frau. Sie heißt Rebekka. Rebekka schöpft Wasser für den Mann und seine Kamele und gibt ihnen zu trinken. Der Diener weiß nun: Sie ist die Richtige für Isaak.

Michael Landgraf, Kinder-Bibel zum Selbstgestalten. © 2007 Calwer Verlag / Deutsche Bibelgesellschaft, Stuttgart ³2011

## Isaak und Rebekka

Der Diener geht zu Rebekkas Vater. Er sagt: „Abraham schickt mich. Er sucht eine Frau für Isaak. Darf Isaak deine Tochter heiraten?" Der Vater ist einverstanden. So zieht Rebekka mit dem Diener nach Kanaan. Isaak und Rebekka heiraten. Erst nach einiger Zeit bekommen sie Zwillinge. Esau ist der ältere, Jakob ist der jüngere. Deshalb soll Esau später der Erbe von Isaak sein.

Michael Landgraf, Kinder-Bibel zum Selbstgestalten. © 2007 Calwer Verlag / Deutsche Bibelgesellschaft, Stuttgart ³2011

### Esau und Jakob

Esau geht gerne jagen. Jakob bleibt lieber zu Hause. Einmal kommt Esau sehr hungrig von der Jagd zurück. Jakob hat Linsen gekocht.
Listig sagt Jakob zu Esau: „Ich gebe dir die Linsen. Aber ich will dafür der Erbe von unserem Vater sein." Esau denkt nur noch an das Essen. Er ist einverstanden und verschlingt die Linsen.

## Isaak will Esau zum Erben machen

Isaak ist alt. Er will Esau segnen und ihn zum Erben machen. Deshalb ruft er ihn zu sich und sagt: „Geh auf die Jagd und mache mir einen schönen Braten. Dann will ich dich segnen." Rebekka hört das und denkt: „Jakob soll den Segen bekommen."

Sie macht einen Braten für Isaak und sagt zu Jakob: „Isaak kann schlecht sehen. Zieh dir ein Fell über, denn Esau hat viele Haare am Körper. Dann bringst du Isaak das Essen."

Michael Landgraf, Kinder-Bibel zum Selbstgestalten. © 2007 Calwer Verlag / Deutsche Bibelgesellschaft, Stuttgart ³2011

## Jakob bekommt Isaaks Segen

Jakob bringt Isaak den Braten. Der Vater berührt ihn. Er fühlt die Haare an seinem Körper und fragt: „Bist du Esau?" Jakob antwortet: „Ja, ich bin es."

Da legt der Vater dem Sohn die Hände auf den Kopf und segnet ihn. Nun ist Jakob der Erbe von Isaak.

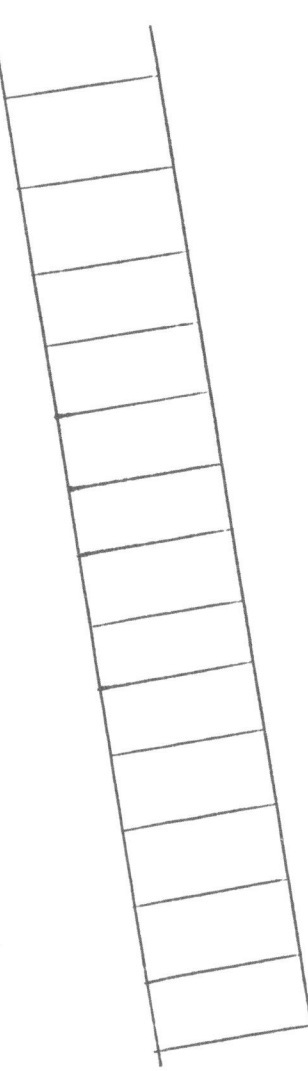

## Jakob flieht und hat einen Traum

Esau kommt von der Jagd zurück. Wütend ruft er: „Jakob hat mich betrogen!" Jakob muss fliehen.
Er macht sich auf den Weg nach Haran. Dort wohnt sein Onkel Laban.
Unterwegs übernachtet er an einem Platz im Freien. Jakob träumt von einer Leiter. Sie reicht bis in den Himmel. Engel steigen hinauf und hinab. Gott sagt zu Jakob: „Du liegst auf heiligem Land. Es soll einmal dir und deinen Nachkommen gehören."
Da weiß Jakob: Dies ist ein heiliger Ort. Er nennt ihn Bet-El. Das heißt „Haus Gottes".

Michael Landgraf, Kinder-Bibel zum Selbstgestalten. © 2007 Calwer Verlag / Deutsche Bibelgesellschaft, Stuttgart ³2011

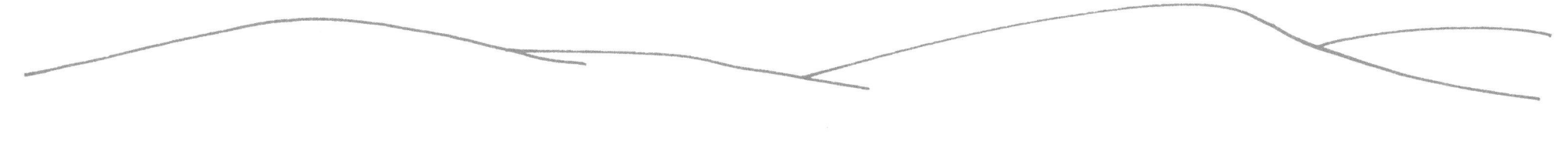

## Jakob heiratet Lea und Rahel

Jakobs Onkel Laban hat zwei Töchter. Die ältere heißt Lea, die jüngere heißt Rahel. Jakob verliebt sich in Rahel. Aber Laban sagt: „Du musst sieben Jahre für mich arbeiten. Dann gebe ich dir meine Tochter."

Jakob arbeitet sieben Jahre. Aber dann gibt Laban ihm Lea zur Frau. Jakob muss noch einmal sieben Jahre für Rahel arbeiten.

Michael Landgraf, Kinder-Bibel zum Selbstgestalten. © 2007 Calwer Verlag / Deutsche Bibelgesellschaft, Stuttgart ³2011

## Jakob und Esau versöhnen sich

Jakob möchte in seine Heimat zurückkehren. Er fragt sich: „Ist Esau noch böse auf mich?" Jakob hat Angst. Trotzdem zieht er los. Doch einige Leute verraten Esau: „Dein Bruder kommt zurück."

Esau zieht Jakob mit vielen Männern entgegen. Die Brüder stehen sich gegenüber. Esau gibt Jakob die Hand. Die Brüder versöhnen sich.

Michael Landgraf, Kinder-Bibel zum Selbstgestalten. © 2007 Calwer Verlag / Deutsche Bibelgesellschaft, Stuttgart ³2011

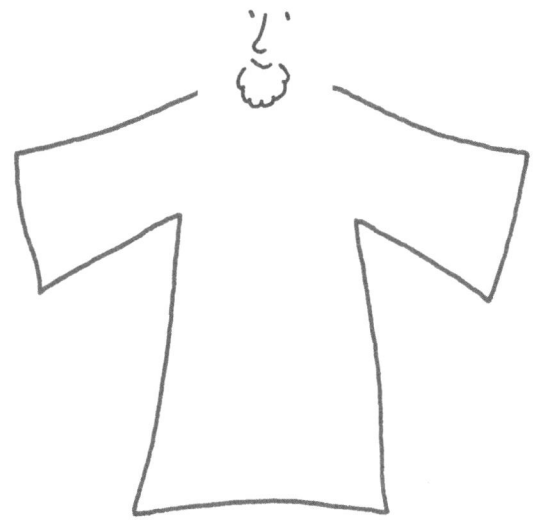

## Josefs Kleid

Jakob hat zwölf Söhne. Seinen Sohn Josef hat er besonders lieb. Deshalb schenkt er ihm ein schönes Kleid. Da werden seine Brüder neidisch.
Eines Tages erzählt Josef: „Ich habe geträumt: Die Sonne, der Mond und elf Sterne verbeugten sich vor mir." Die Brüder und seine Eltern sind zornig auf ihn. Sein Vater sagt: „Sollen sich deine Eltern und deine Brüder etwa vor dir verneigen?"

Michael Landgraf, Kinder-Bibel zum Selbstgestalten. © 2007 Calwer Verlag / Deutsche Bibelgesellschaft, Stuttgart ³2011

## Josef wird verkauft

Josefs Brüder sind auf dem Feld. Josef kommt zu ihnen. Die Brüder sind immer noch zornig. Sie packen Josef und werfen ihn in eine Grube. Da kommen Händler vorbei. Sie sind auf dem Weg nach Ägypten. Die Brüder verkaufen Josef an die Händler. Zu Hause sagen sie zu ihrem Vater: „Josef ist tot. Ein wildes Tier hat ihn gefressen." Sie zeigen ihm das Kleid von Josef. Sie haben es mit dem Blut einer Ziege beschmiert. Da ist Jakob sehr traurig und weint.

## Josef und Potifar

In Ägypten verkaufen die Händler Josef an den reichen Potifar. Josef ist klug und fleißig. Bald macht Potifar ihn zu seinem obersten Diener.
Auch Potifars Frau mag Josef und verliebt sich in ihn. Sie möchte ihm nahe sein und hält ihn an seinem Kleid fest. Aber Josef will sie nicht und läuft weg. Da hat sie nur noch sein Kleid in der Hand. Laut ruft sie: „Hilfe, Josef hat mich bedrängt!"
Potifar ist böse auf Josef und lässt ihn ins Gefängnis werfen.

Michael Landgraf, Kinder-Bibel zum Selbstgestalten. © 2007 Calwer Verlag / Deutsche Bibelgesellschaft, Stuttgart ³2011

## Josef im Gefängnis

Im Gefängnis trifft Josef zwei andere Gefangene. Der eine ist Bäcker, der andere Mundschenk. Sie arbeiten für den Pharao. So nennen die Ägypter ihren König. Beide haben seltsame Träume.

Josef weiß, was die Träume bedeuten. Er sagt zum Mundschenk: „Du kommst frei." Zum Bäcker aber sagt er: „Du wirst sterben." Es geschieht so, wie Josef gesagt hat.

Michael Landgraf, Kinder-Bibel zum Selbstgestalten. © 2007 Calwer Verlag / Deutsche Bibelgesellschaft, Stuttgart ³2011

## Die Träume des Pharao

Zwei Jahre später hat auch der Pharao einen Traum. Er sieht sieben magere und sieben fette Kühe. Die mageren Kühe fressen die fetten Kühe. Dann träumt er von sieben verdorrten und sieben vollen Ähren.

Die verdorrten Ähren verschlingen die vollen Ähren. Keiner kann dem Pharao sagen, was das bedeutet. Da erinnert sich der Mundschenk an Josef. Der Pharao befiehlt: „Bringt Josef her zu mir!"

Michael Landgraf, Kinder-Bibel zum Selbstgestalten. © 2007 Calwer Verlag / Deutsche Bibelgesellschaft, Stuttgart ³2011

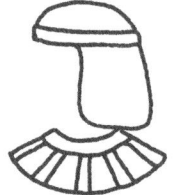

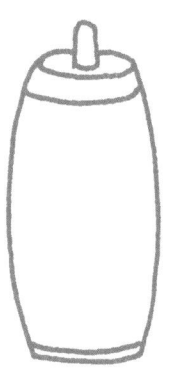

## Josef wird oberster Verwalter

Josef sagt: „Gott meint es gut mit Ägypten. Darum schickt er dem König solche Träume. Beide bedeuten dasselbe: Erst kommen sieben gute Jahre mit reicher Ernte. Dann kommen sieben schlechte Jahre. Da gibt es keine Ernte und die Leute müssen hungern. Für diese Zeit musst du Vorräte sammeln."

Der Pharao macht Josef zu seinem obersten Verwalter. Josef bekommt schöne Kleider, einen Ring und eine Kette wie ein hoher Herr. Sieben Jahre lang sammelt er Vorräte. So gibt es in den Hungerjahren genug zu essen im Land Ägypten.

Michael Landgraf, Kinder-Bibel zum Selbstgestalten. © 2007 Calwer Verlag / Deutsche Bibelgesellschaft, Stuttgart ³2011

## Josefs Brüder kommen nach Ägypten

Josefs Familie leidet unter der Hungersnot. Jakob schickt seine Söhne nach Ägypten, um Getreide zu kaufen. Nur der jüngste Sohn Benjamin bleibt bei ihm. In Ägypten werden die Brüder zu Josef gebracht. Aber sie erkennen ihn nicht. Josef will sie auf die Probe stellen. Deshalb sagt er zu ihnen: „Ihr seid bestimmt Spione." Die Brüder haben Angst. Josef fragt sie über die Familie aus und sagt: „Das nächste Mal bringt ihr Benjamin mit." Dann gibt er ihnen Getreide und lässt sie ziehen.

## Josef stellt seine Brüder auf die Probe

Die Hungersnot ist groß und das Getreide ist bald aufgebraucht. Wieder ziehen die Brüder nach Ägypten. Sie nehmen Benjamin mit. Doch Jakob hat Angst um ihn.
Josef gibt den Brüdern noch mehr Getreide. Dabei versteckt er einen silbernen Becher in Benjamins Sack. Die Brüder ziehen nach Hause. Da schickt Josef ihnen seine Soldaten hinterher. Die Brüder sagen: „Wir haben nichts gestohlen." Aber die Soldaten finden den Becher bei Benjamin.

Michael Landgraf, Kinder-Bibel zum Selbstgestalten. © 2007 Calwer Verlag / Deutsche Bibelgesellschaft, Stuttgart ³2011

## Josef gibt sich zu erkennen

Josef sagt: „Benjamin ist ein Dieb. Er soll mein Diener sein." Die Brüder rufen verzweifelt: „Unser Vater darf nicht auch noch Benjamin verlieren. Das überlebt er nicht." Juda sagt: „Lass Benjamin gehen. Ich will an seiner Stelle dein Diener sein."

Da fängt Josef an zu weinen. Er sagt: „Erkennt ihr mich nicht? Ich bin Josef, euer Bruder!"
Die Brüder freuen sich und rufen: „Unser Bruder Josef lebt. Er hat uns verziehen."

Michael Landgraf, Kinder-Bibel zum Selbstgestalten. © 2007 Calwer Verlag / Deutsche Bibelgesellschaft, Stuttgart ³2011

## Jakob kommt nach Ägypten

Josef sagt zu seinen Brüdern: „Bringt unseren Vater hierher." Da ziehen die Brüder nach Hause und holen Jakob nach Ägypten. Sogar der Pharao begrüßt ihn. Jakob und seine Söhne wohnen in Ägypten.

Josef sagt zu seinen Brüdern: „Damals wart ihr böse zu mir. Aber Gott hat aus dem Bösen etwas Gutes werden lassen. Er hat uns alle am Leben erhalten. Wir dürfen ihm dankbar sein."

Michael Landgraf, Kinder-Bibel zum Selbstgestalten. © 2007 Calwer Verlag / Deutsche Bibelgesellschaft, Stuttgart ³2011

## Den Israeliten geht es schlecht

Die Nachkommen von Jakob leben lange in Ägypten. Sie nennen sich die Israeliten. Israel ist ein anderer Name für Jakob. Doch dann geht es ihnen schlecht.

Es herrscht ein neuer Pharao. Er weiß nicht, was Josef alles für Ägypten getan hat. So befiehlt er: „Die Israeliten sind unsere Diener. Sie sollen Städte für uns bauen."

Die Israeliten müssen aus Lehm Ziegel machen und in der heißen Sonne schwer arbeiten.

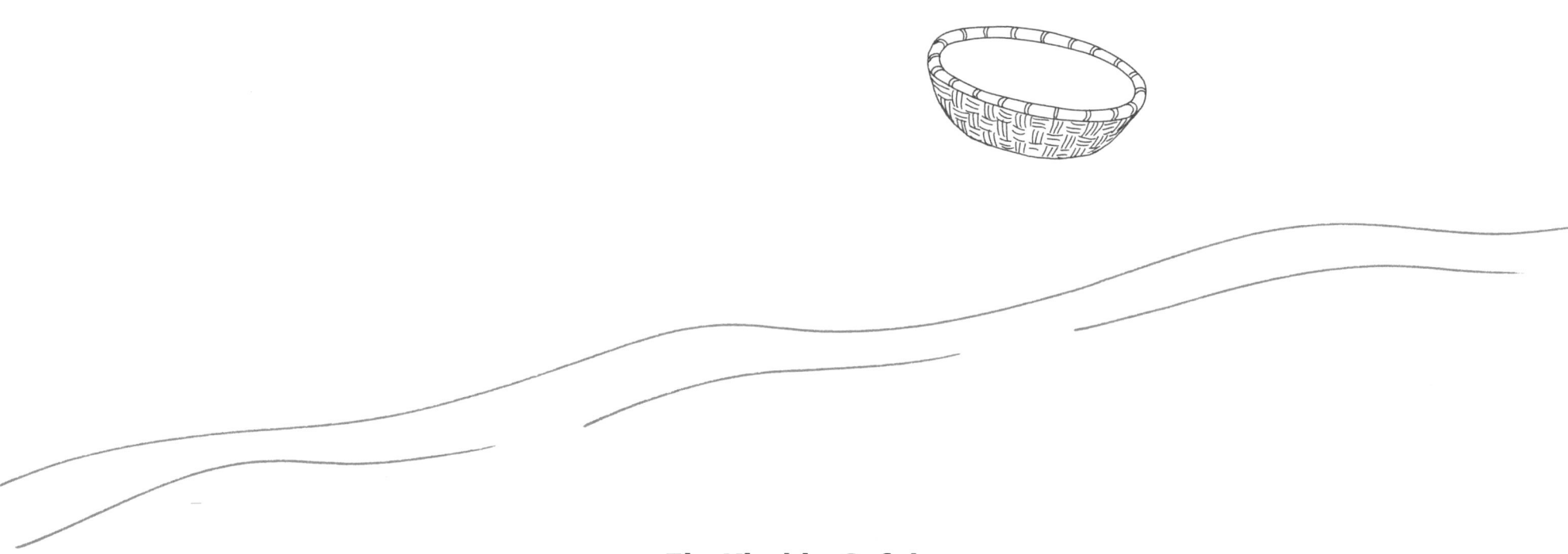

## Ein Kind in Gefahr

Der Pharao hat Angst vor den Israeliten. Er sagt: „Es sind zu viele. Was ist, wenn sie einen Aufstand gegen uns machen?" Er gibt seinen Leuten den Befehl: „Werft ihre neugeborenen Jungen in den Nil!"

Eine israelitische Mutter will ihr Kind retten. Sie legt es in einen Korb und versteckt ihn im Schilf am Ufer. Ihre Tochter Mirjam soll in der Nähe auf das Kind aufpassen. Auch sie versteckt sich im Schilf.

Michael Landgraf, Kinder-Bibel zum Selbstgestalten. © 2007 Calwer Verlag / Deutsche Bibelgesellschaft, Stuttgart ³2011

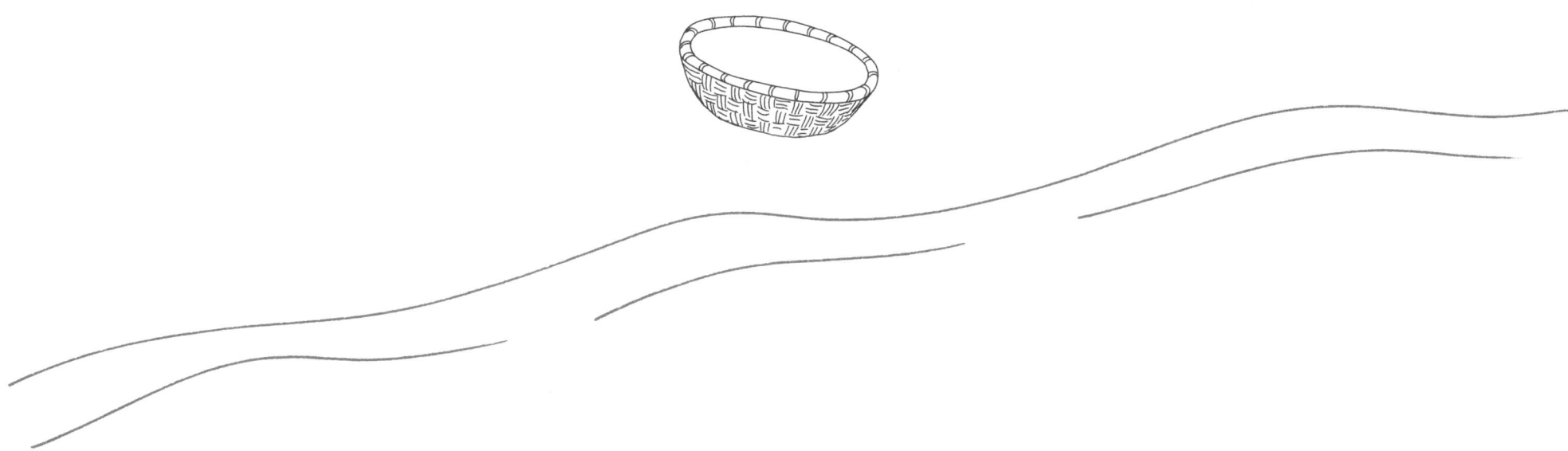

## Mose wird gerettet

Die Tochter des Pharao will im Nil baden. Da entdeckt sie den Korb im Schilf und ruft ihren Dienerinnen zu: „Bringt mir den Korb!" Sie sieht das Kind. Es weint und hat Hunger. Mirjam kommt aus dem Versteck. Sie sagt: „Ich kann dir helfen. Ich kenne eine Frau, die dem Kind Milch geben kann." Die Tochter des Pharao sagt: „Bringe das Kind zu ihr." So kommt der Junge wieder zu seiner Mutter.

Michael Landgraf, Kinder-Bibel zum Selbstgestalten. © 2007 Calwer Verlag / Deutsche Bibelgesellschaft, Stuttgart ³2011

## Mose wächst als Prinz auf

Einige Zeit später muss die Mutter den Jungen zum Palast bringen. Die Tochter des Pharao macht ihn zu ihrem Sohn. Sie sagt: „Du sollst Mose heißen. Das bedeutet: Ich habe dich aus dem Wasser gezogen."

Mose wächst im Palast auf wie ein Prinz. Er hat ein gutes Leben. Aber den anderen Israeliten geht es schlecht. Sie müssen immer härter arbeiten.

Michael Landgraf, Kinder-Bibel zum Selbstgestalten. © 2007 Calwer Verlag / Deutsche Bibelgesellschaft, Stuttgart ³2011

## Mose muss fliehen

Mose geht auf eine Baustelle. Dort sieht er, wie ein ägyptischer Aufseher einen Israeliten schlägt. Mose wird wütend und erschlägt den Aufseher.

Bald erfährt der Pharao von der Tat. Er sagt: „Mose muss sterben!" Da flieht Mose aus Ägypten in das Land Midian.

Michael Landgraf, Kinder-Bibel zum Selbstgestalten. © 2007 Calwer Verlag / Deutsche Bibelgesellschaft, Stuttgart ³2011

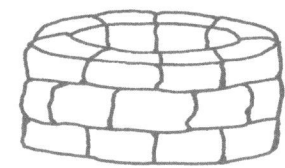

## Mose im Land Midian

Mose kommt in das Land Midian. Er setzt sich an einen Brunnen. Sieben Mädchen kommen und wollen Wasser für ihre Tiere holen. Ein paar Hirten drängen sie weg. Doch Mose hilft den Mädchen.

Der Vater der Mädchen ist dankbar und lädt Mose ein. Mose darf bei der Familie bleiben. Die älteste der Schwestern heißt Zippora. Sie wird Moses Frau.

Michael Landgraf, Kinder-Bibel zum Selbstgestalten. © 2007 Calwer Verlag / Deutsche Bibelgesellschaft, Stuttgart ³2011

### Gott erscheint Mose

Mose hütet Schafe in den Bergen. Da sieht er einen Dornbusch brennen. Doch der Busch verbrennt nicht. Es ist ein Zeichen von Gott. Mose geht näher heran und hört die Stimme Gottes: „Geh zum Pharao und sage zu ihm: ‚Lass das Volk Israel frei!'

Ich will euch in ein gutes Land führen. Dort fließt Milch und Honig."

Mose fürchtet sich vor der Aufgabe. Aber Gott macht ihm Mut. So kehrt Mose nach Ägypten zurück.

Michael Landgraf, Kinder-Bibel zum Selbstgestalten. © 2007 Calwer Verlag / Deutsche Bibelgesellschaft, Stuttgart ³2011

## Mose kommt zum Pharao

Aaron ist der Bruder von Mose. Gott sagt zu ihm: „Geh zu deinem Bruder und hilf ihm!" Da geht Aaron Mose entgegen. Gemeinsam treten sie vor den Pharao. Sie sagen: „Gott schickt uns. Lass die Israeliten gehen! Sie sind Gottes Volk." Aber der Pharao hat ein verschlossenes Herz. Er will die Israeliten nicht gehen lassen. So schickt er Mose und Aaron weg.

Michael Landgraf, Kinder-Bibel zum Selbstgestalten. © 2007 Calwer Verlag / Deutsche Bibelgesellschaft, Stuttgart ³2011

## Gott schickt Plagen über Ägypten

Da schickt Gott zehn schlimme Plagen über Ägypten. Das Wasser ist verdorben. Menschen und Tiere werden krank. Heuschrecken fressen die Ernte. Unwetter kommen über das Land. Sogar die ältesten Söhne der Ägypter sterben. Nur die Israeliten werden verschont.

Michael Landgraf, Kinder-Bibel zum Selbstgestalten. © 2007 Calwer Verlag / Deutsche Bibelgesellschaft, Stuttgart ³2011

## Die Israeliten dürfen gehen

Endlich lässt der Pharao die Israeliten gehen. Gott führt sie zum Meer. Da bereut der Pharao seine Entscheidung. Er schickt Soldaten mit Pferden und Wagen hinter ihnen her. Die Israeliten haben Angst. Doch Gott stellt eine Feuersäule zwischen die Israeliten und die Soldaten. So können die Soldaten den Israeliten nichts tun.

Michael Landgraf, Kinder-Bibel zum Selbstgestalten. © 2007 Calwer Verlag / Deutsche Bibelgesellschaft, Stuttgart ³2011

## Das geteilte Meer

Gott sagt zu Mose: „Nimm deinen Stab und halte ihn über das Meer."
Da teilt sich das Wasser. Auf beiden Seiten steht es wie eine Wand. Die Israeliten gehen auf einem trockenen Weg durch das Meer hindurch. Da verschwindet die Feuersäule und die ägyptischen Soldaten rufen: „Hinterher!" Doch das Wasser kommt zurück. Alle Soldaten ertrinken.

Michael Landgraf, Kinder-Bibel zum Selbstgestalten. © 2007 Calwer Verlag / Deutsche Bibelgesellschaft, Stuttgart ³2011

## Mirjams Lied

Die Israeliten sind gerettet. Mirjam singt ein Lied: „Lasst uns Gott danken. Er hat uns gerettet. Endlich sind wir frei!"

Alle Frauen singen, machen Musik und tanzen vor Freude.

Michael Landgraf, Kinder-Bibel zum Selbstgestalten. © 2007 Calwer Verlag / Deutsche Bibelgesellschaft, Stuttgart [3]2011

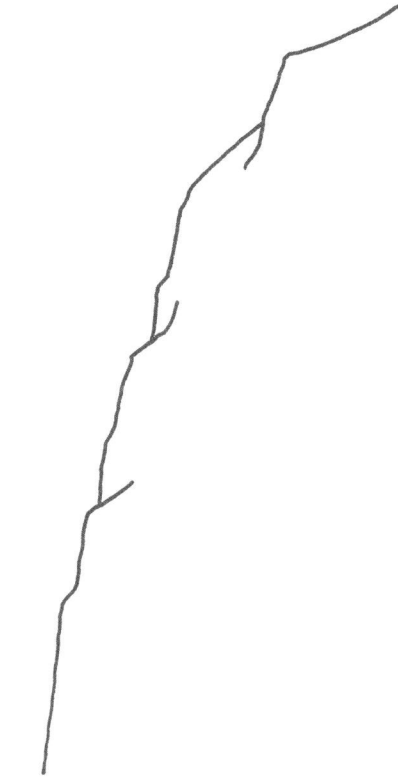

## Rettung in der Wüste

Die Israeliten sind in der Wüste. Es gibt nichts zu essen und zu trinken. Sie schimpfen: „Wären wir doch nur in Ägypten geblieben. Dort gab es genug zu essen und zu trinken." Mose bittet Gott um Hilfe.

Gott schickt ihnen Vögel und Brot zu essen. Er sagt zu Mose: „Schlage mit deinem Stock an einen Felsen." Da sprudelt Wasser heraus. Die Israeliten sind gerettet.

## Am Berg Sinai

Die Israeliten kommen zum Berg Sinai. Mose steigt allein hinauf. Als er oben ist, sagt Gott zu ihm: „Ich gebe dir zwei Tafeln aus Stein. Darauf stehen meine Gebote. Sie sagen euch, wie ihr leben sollt. Haltet diese Gebote, dann wird euer Leben gut sein."

Michael Landgraf, Kinder-Bibel zum Selbstgestalten. © 2007 Calwer Verlag / Deutsche Bibelgesellschaft, Stuttgart ³2011

# Die Zehn Gebote

Das sind die Gebote Gottes:

Ich bin der Herr, dein Gott.
Ich habe dich aus Ägypten
befreit.

Du sollst keine anderen Götter
neben mir haben.

Du sollst dir kein Bild
von einem Gott machen
und es anbeten.

Du sollst meinen Namen nicht
gedankenlos aussprechen.

Du sollst den Ruhetag
einhalten.

Du sollst deinen Vater und
deine Mutter ehren.

Du sollst nicht morden.

Du sollst nicht ehebrechen.

Du sollst nicht stehlen.

Du sollst nichts Falsches über
jemanden reden.

Du sollst nichts haben wollen,
was einem anderen gehört.

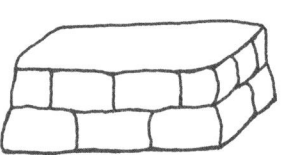

### Der goldene Stier

Unten am Berg warten die Israeliten auf Mose. Er bleibt lange fort. So sagen sie: „Mose kommt bestimmt nicht mehr zurück. Lasst uns einen Stier aus Gold machen. Der soll unser Gott sein." Sie feiern und tanzen um den goldenen Stier.

Da kommt Mose zurück und sieht den Stier. Er wird zornig und wirft ihn ins Feuer. Dann sagt er zu den Israeliten: „Ihr habt etwas Schlimmes getan. Aber ich werde Gott um Verzeihung für euch bitten."

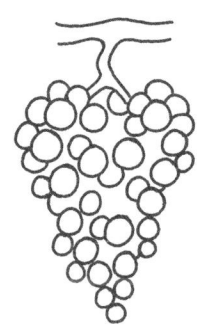

## Kundschafter im versprochenen Land

Die Israeliten kommen in die Nähe des Landes Kanaan. Da spricht Gott zu Mose: „Schicke Kundschafter in das Land. Sie sollen es erkunden." Mose schickt zwölf Männer los.

Bald kommen die Männer mit riesigen Früchten zurück. Sie sagen: „Es ist ein fruchtbares Land. Aber die Menschen dort sind viel stärker als wir!" Da haben die Israeliten Angst.

Michael Landgraf, Kinder-Bibel zum Selbstgestalten. © 2007 Calwer Verlag / Deutsche Bibelgesellschaft, Stuttgart ³2011

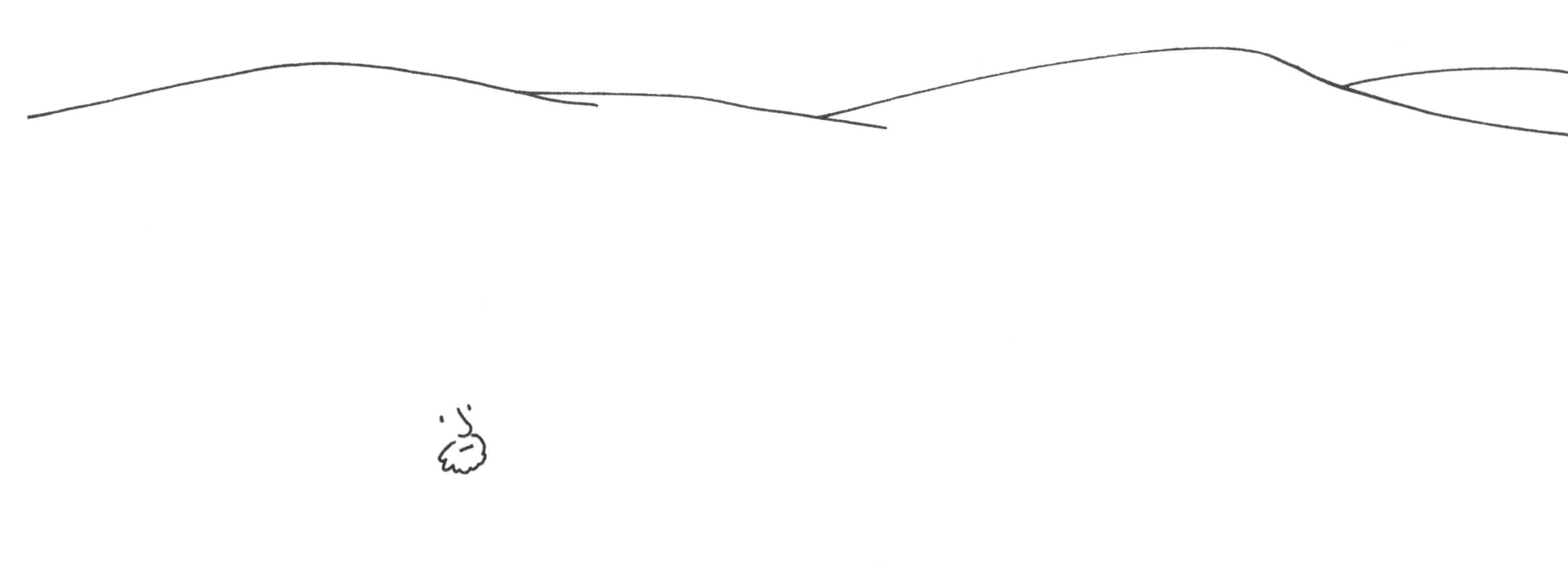

## Josua wird Nachfolger von Mose

Mose ist sehr alt. Er sagt zu den Israeliten: „Josua ist mein Nachfolger. Er wird euch in das Land Kanaan führen. Ich bleibe hier."
Zu Josua sagt er: „Gott wird mit dir sein und dich nicht verlassen. Fürchte dich nicht." Dann geht Mose auf den Berg Nebo. Von hier aus sieht er das Land Kanaan. Gott hat es den Israeliten versprochen. Dann stirbt Mose.

Michael Landgraf, Kinder-Bibel zum Selbstgestalten. © 2007 Calwer Verlag / Deutsche Bibelgesellschaft, Stuttgart ³2011

## Die Mauern von Jericho

Die Israeliten ziehen in das Land Kanaan. Sie wollen die Stadt Jericho erobern. Gott sagt zu ihnen: „Zieht sieben Tage um die Stadt. Am siebten Tag blast in eure Posaunen. Dann fallen die Mauern ein." So geschieht es. Die Israeliten können die Stadt einnehmen. Bald gehört das ganze Land ihnen.

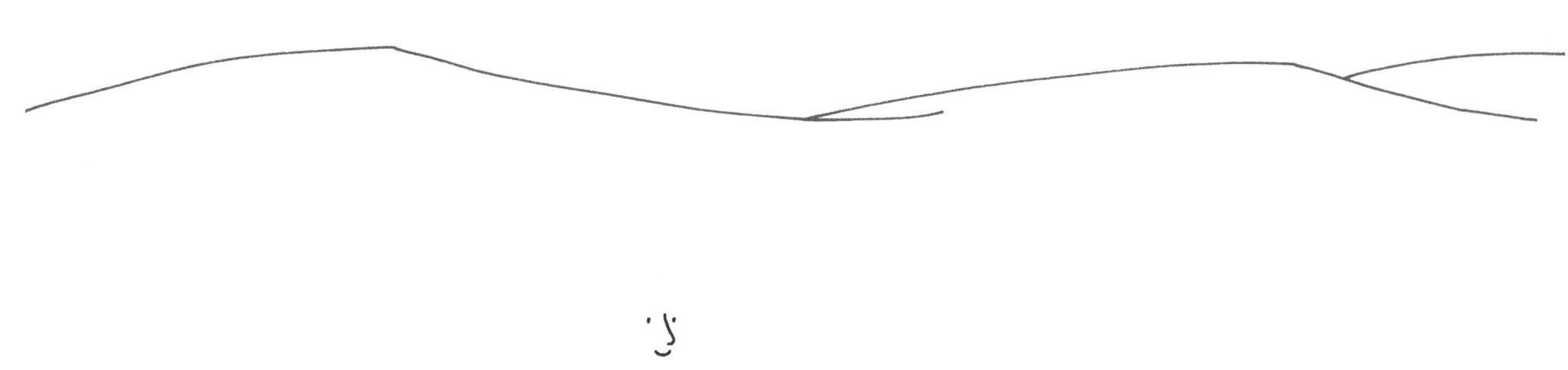

## Rut und Noomi

Noomi und ihre Familie ziehen in das Land Moab. Dort heiratet Noomis Sohn. Seine Frau heißt Rut. Sie ist eine Moabiterin. Bald sterben die Männer von Noomi und Rut. Die Frauen sind sehr traurig.

Noomi will zurück in ihre Heimat Israel. Rut sagt zu Noomi: „Ich bleibe bei dir. Wo du hingehst, gehe auch ich hin. Dein Gott ist mein Gott." Noomi freut sich sehr. So ist sie nicht allein.

Michael Landgraf, Kinder-Bibel zum Selbstgestalten. © 2007 Calwer Verlag / Deutsche Bibelgesellschaft, Stuttgart ³2011

## Rut und Boas

Noomi und Rut gehen in das Dorf Betlehem. Dort hat Noomi früher gelebt. Rut sammelt Getreide von einem Feld. So haben die beiden etwas zu essen. Das Feld gehört Boas. Er ist mit Noomi verwandt.

Boas verliebt sich in Rut. Er heiratet sie und kümmert sich auch um Noomi. Rut und Boas bekommen einen Sohn. Sie nennen ihn Obed. Später ist Obed der Großvater von König David.

Michael Landgraf, Kinder-Bibel zum Selbstgestalten. © 2007 Calwer Verlag / Deutsche Bibelgesellschaft, Stuttgart ³2011

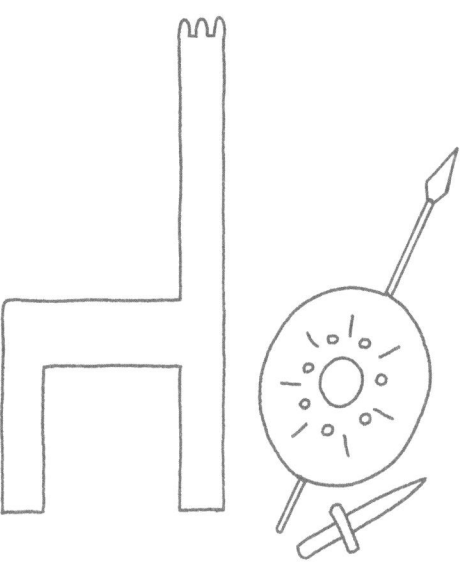

## Saul wird König

Die Israeliten müssen gegen die Philister kämpfen. Auch sie wollen das Land für sich haben. Das Volk der Philister ist größer und stärker als die Israeliten.

Da sagen die Israeliten: „Wir brauchen einen König! Er soll uns gegen die Feinde anführen." Sie machen Saul zum König. Gott steht ihm bei. Aber eines Tages hört Saul nicht mehr auf Gott.

Michael Landgraf, Kinder-Bibel zum Selbstgestalten. © 2007 Calwer Verlag / Deutsche Bibelgesellschaft, Stuttgart ³2011

## Samuel und David

Samuel ist ein weiser Mann. Gott schickt ihn zu Isai. Samuel soll ihm sagen: „Einer von deinen Söhnen wird einmal König über Israel sein."
Isai holt seine Söhne. Aber keiner von ihnen ist der Richtige.

Da kommt der jüngste Sohn. Er heißt David. Samuel ruft: „Der ist es!" Er streicht Öl auf Davids Kopf. Das bedeutet: David wird König über Israel sein.

## David und Goliat

Die Philister haben einen großen, starken Krieger. Er heißt Goliat. Alle haben Angst. Keiner will gegen ihn kämpfen. Goliat lacht die Israeliten aus. Aber der kleine David ist mutig. Er weiß, dass Gott ihm hilft. So ruft er: „Goliat, kämpfe mit mir!"

David hat nur seine Schleuder. Er wirft einen Stein und trifft Goliat am Kopf. Goliat fällt um. David hat ihn besiegt. Da fliehen die Philister und die Israeliten jubeln.

Michael Landgraf, Kinder-Bibel zum Selbstgestalten. © 2007 Calwer Verlag / Deutsche Bibelgesellschaft, Stuttgart ³2011

## David kommt zu Saul

David lebt am Hof des Königs. König Saul ist oft traurig. Dann muss David für ihn auf der Harfe spielen. So wird Saul wieder froh.

Die Menschen mögen David. Sie rufen: „David ist ein großer Krieger. Er ist unser Held." Da wird Saul eifersüchtig. Er wirft sogar einen Speer nach David.

## David und Jonatan

Jonatan ist Sauls Sohn. Er ist der beste Freund von David. Jonatan verrät David: „Mein Vater ist böse auf dich. Er will dich umbringen." So kann David rechtzeitig fliehen.

Saul verfolgt David. Er muss sich in der Wüste verstecken. Dort lebt er lange Zeit. Aber er hat Freunde bei sich.

Michael Landgraf, Kinder-Bibel zum Selbstgestalten. © 2007 Calwer Verlag / Deutsche Bibelgesellschaft, Stuttgart [3]2011

## David verschont Saul

Saul und seine Soldaten verfolgen David. Saul muss mal und geht in eine Höhle. Doch hinten in der Höhle sitzt David mit seinen Freunden. David schleicht sich zu Saul und schneidet ein Stück von seinem Mantel ab. Seine Freunde wundern sich.

David sagt: „Ich will Saul nicht umbringen. Gott hat ihn zum König gemacht." Dann geht er zu Saul und sagt: „Ich habe ein Stück von deinem Mantel abgeschnitten. Doch dir habe ich nichts getan." Da schämt sich Saul und verfolgt David nicht mehr.

## David wird König

König Saul und seine Söhne sterben im Kampf gegen die Philister. Die Israeliten wählen David zu ihrem neuen König. David besiegt die Feinde Israels. Er macht Jerusalem zur Hauptstadt und baut einen Palast. Die Menschen sind froh und rufen: „David ist ein guter König."

# Wer sind die Menschen? – Psalm 8

David denkt viel über Gott nach. Er dichtet Lieder für ihn. Diese Lieder nennt man „Psalmen".
In der Bibel findet sich ein ganzes Buch mit Psalmen. Einer von ihnen erzählt davon, wer wir Menschen sind.

Herr, wie wunderbar bist du.

Ich staune über den Himmel,
den du gemacht hast,
über den Mond und die Sterne.

Wie klein sind dagegen die Menschen!
Und doch kümmerst du dich um sie.

Es fehlt nicht viel
und die Menschen wären wie du, Gott.
Würde und Macht hast du ihnen gegeben.

Du hast den Menschen alles anvertraut.
Sie sollen aufpassen auf alle Tiere,
die auf dem Feld und im Wald leben,
in der Luft und im Wasser.

Herr, wie wunderbar bist du.

# Der Herr ist mein Hirte – Psalm 23

Einer der bekanntesten Psalmen beschreibt Gott als den guten Hirten:

Der Herr ist mein Hirte,
mir wird nichts mangeln.
Er weidet mich auf einer grünen Aue
und führet mich zum frischen Wasser.
Er erquicket meine Seele.
Er führet mich auf rechter Straße
um seines Namens willen.
Und ob ich schon wanderte im finstern Tal,
fürchte ich kein Unglück;
denn du bist bei mir,
dein Stecken und Stab trösten mich.
Du bereitest vor mir einen Tisch
im Angesicht meiner Feinde.
Du salbest mein Haupt mit Öl
und schenkest mir voll ein.
Gutes und Barmherzigkeit werden mir
folgen mein Leben lang,
und ich werde bleiben im Hause
des Herrn immerdar.

Michael Landgraf, Kinder-Bibel zum Selbstgestalten. © 2007 Calwer Verlag / Deutsche Bibelgesellschaft, Stuttgart ³2011

# Freude an Gottes Schöpfung – Psalm 104

Ein Psalm preist Gott für seine Schöpfung:

Preise den Herrn, mein Herz!

Herr, mein Gott, wie groß bist du!
Helles Licht umgibt dich wie ein Mantel.
Herr, wie viel Wunderbares hast du gemacht!
Alles hast du weise geordnet,
und du schenkst allen deine guten Gaben.

Alle deine Geschöpfe warten darauf,
dass du ihnen Nahrung gibst zur rechten Zeit.

Ich will dem Herrn singen mein Leben lang
und meinen Gott preisen, solange es mich gibt.

Preise den Herrn, mein Herz! Halleluja!

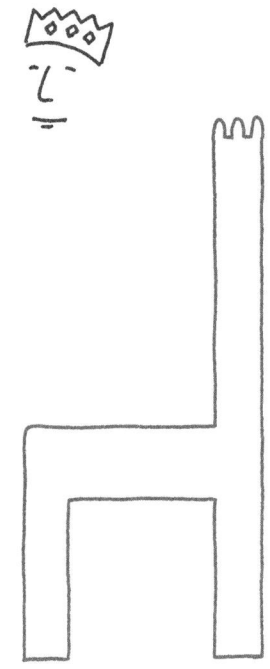

## Der weise König Salomo

Salomo ist Davids Sohn. Als David stirbt, wird er König von Israel.
Salomo ist gerecht und weise. Eines Tages kommen zwei Frauen. Sie bringen ein Kind mit. Beide sagen: „Das ist mein Kind!" Salomo sagt: „Nehmt ein Schwert und teilt es. Dann kann jede Frau eine Hälfte haben."
Eine der Frauen ruft aufgeregt: „Gebt der anderen das Kind! Es darf nicht sterben." Da weiß Salomo: Nur sie kann die Mutter sein.

# Alles hat seine Zeit

Ein Buch in der Bibel ist nach dem weisen König Salomo benannt. Es heißt „Der Prediger Salomo".
Darin stehen diese Worte:

Alles hat seine Zeit:

Geboren werden und sterben,

einpflanzen und ausreißen,

töten und Leben retten,

einreißen und aufbauen,

weinen und lachen,

klagen und tanzen,

Steine werfen und Steine aufsammeln,

sich umarmen und wieder loslassen,

finden und verlieren,

behalten und wegwerfen,

zerreißen und zusammennähen,

schweigen und reden,

lieben und hassen,

Krieg und Frieden.

Ich weiß: Alles, was Gott tut, das bleibt für immer.

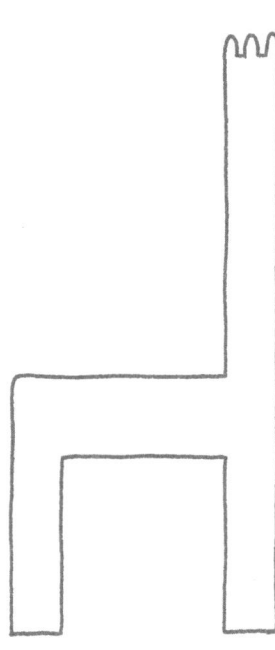

### Der Prophet Elija

König Ahab und Königin Isebel herrschen über das Land. Sie beten andere Götter an. Zum Volk sagen sie: „Betet mit uns zu diesen Göttern." Da schickt Gott Elija. Er ist ein Prophet. Propheten sagen den Menschen: „Erinnert euch an die Gebote Gottes. Tut kein Unrecht und betet keine anderen Götter an."

Elija sagt zu Ahab: „Du betest andere Götter an. Deshalb wird es lange Zeit nicht regnen." Da wird der König zornig. Elija muss fliehen.

Michael Landgraf, Kinder-Bibel zum Selbstgestalten. © 2007 Calwer Verlag / Deutsche Bibelgesellschaft, Stuttgart ³2011

## Elija bei der Witwe von Sarepta

Gott sagt zu Elija: „Gehe in die Stadt Sarepta! Dort wirst du Hilfe bekommen." In Sarepta trifft Elija eine Witwe. Ihr Mann ist gestorben. Er bittet sie um Brot und Wasser. Doch die Witwe ist sehr arm. Sie hat kaum zu essen für sich und ihren Sohn. Da sagt Elija: „Mach dir keine Sorgen. Geh nach Hause und backe ein kleines Brot für mich. Gott wird dir helfen."

Die Frau backt ein Brot für Elija und staunt. Das Mehl im Topf geht nicht aus. So hat sie immer genug Brot für sich, Elija und ihren Sohn.

Michael Landgraf, Kinder-Bibel zum Selbstgestalten. © 2007 Calwer Verlag / Deutsche Bibelgesellschaft, Stuttgart ³2011

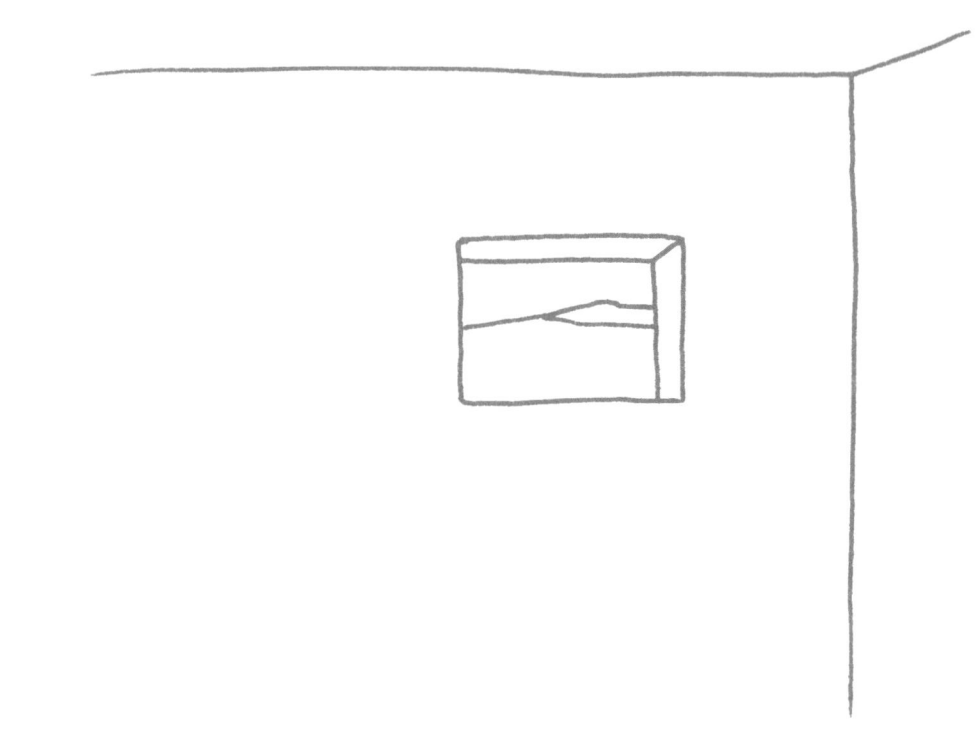

## Elija rettet den Sohn der Witwe

Kurz danach wird der Sohn der Witwe krank und stirbt. Die Mutter ist sehr traurig. Doch Elija sagt: „Gib ihn mir." Er nimmt das Kind in den Arm und betet: „Gott, mache das Kind wieder lebendig!"

Da schlägt der Junge seine Augen auf. Die Witwe ruft voller Freude: „Jetzt sehe ich: Du bist ein Mann Gottes! Auf deine Worte kann man sich verlassen."

Michael Landgraf, Kinder-Bibel zum Selbstgestalten. © 2007 Calwer Verlag / Deutsche Bibelgesellschaft, Stuttgart ³2011

## Elija in der Wüste

König Ahab und Königin Isebel verfolgen Elija weiter. Der Prophet muss in die Wüste fliehen. Dort denkt Elija: „Ich kann nicht mehr! Ich muss sterben."

Aber Gott schickt einen Engel zu ihm. Der bringt ihm in der Wüste zu essen und zu trinken. Da weiß Elija: „Gott lässt mich nicht im Stich."

## Amos spricht gegen die Ungerechtigkeit

Amos ist ein Prophet Gottes. Zu seiner Zeit herrscht große Ungerechtigkeit im Land. Die Reichen und Mächtigen unterdrücken die Armen und Schwachen. Amos ruft den Mächtigen zu: „Ihr tut Unrecht. Niemand darf offen sagen, was los ist. Ihr lasst die Armen arbeiten und gebt ihnen keinen Lohn.

Ihr gebt den Richtern Geld. Deshalb kann vor Gericht niemand gegen euch gewinnen.
Ich rufe euch auf: Hasst das Böse und liebt das Gute! Im Gericht soll das Recht Recht bleiben! Haltet euch an Gottes Gebote. Sonst wird es euch schlecht ergehen."

Michael Landgraf, Kinder-Bibel zum Selbstgestalten. © 2007 Calwer Verlag / Deutsche Bibelgesellschaft, Stuttgart ³2011

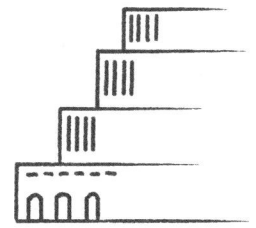

## Daniel in Babylon

Die Babylonier erobern Israel und zerstören Jerusalem. Sie bringen viele Israeliten nach Babylon. Unter ihnen sind auch junge Leute. Einer davon ist Daniel. Er und seine Freunde vertrauen Gott und halten seine Gebote.

Daniel kann sogar die Träume des Königs verstehen. Bald sagt der König von Babylon zu ihnen: „Ihr sollt meine Ratgeber sein!" Aber manche Leute im Palast sind neidisch auf Daniel und seine Freunde.

Michael Landgraf, Kinder-Bibel zum Selbstgestalten. © 2007 Calwer Verlag / Deutsche Bibelgesellschaft, Stuttgart ³2011

## Daniels Freunde im Feuerofen

Der König von Babylon lässt ein großes Standbild von sich bauen. Die Männer des Königs rufen: „Kommt alle herbei! Jeder soll das Standbild des Königs anbeten. Sonst wird er im Feuerofen verbrannt." Alle am Hof fallen vor dem Standbild auf die Knie.

Nur drei Freunde von Daniel bleiben stehen. Der König ist empört und lässt sie in den Feuerofen werfen. Aber Gott schickt einen Engel zu ihnen, der sie beschützt. So können ihnen die Flammen nichts tun. Da ruft der König laut: „Gelobt sei euer Gott. Er hat euch gerettet. Alle sollen ihn anbeten!"

Michael Landgraf, Kinder-Bibel zum Selbstgestalten. © 2007 Calwer Verlag / Deutsche Bibelgesellschaft, Stuttgart ³2011

## Daniel in der Löwengrube

Ein neuer König regiert das Land. Einige überreden ihn: „Ein Gesetz soll gelten. Alle Menschen dürfen nur dich anbeten." Aber Daniel betet weiter zu seinem Gott. Die Leute erzählen es dem König. Er muss Daniel bestrafen und lässt ihn in eine Grube mit hungrigen Löwen werfen.

Doch die Löwen greifen Daniel nicht an. Friedlich sitzen sie noch am nächsten Morgen bei ihm. Der König staunt. Daniel lächelt ihn an und sagt: „Gott hat mich beschützt." Der König ist froh und sagt: „Von nun an soll jeder zu Gott beten."

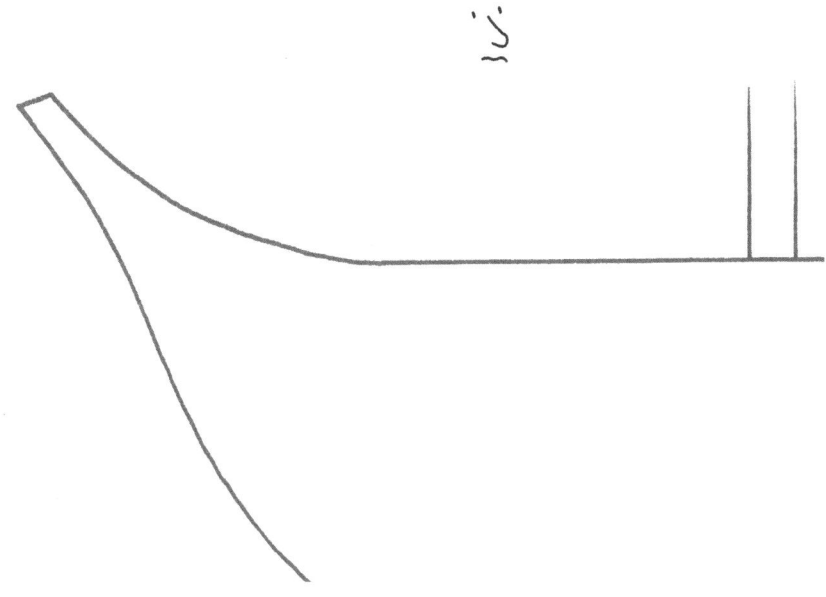

## Jona flieht

Jona ist ein Prophet. Gott sagt zu ihm: „Geh in die Stadt Ninive. Sage den Leuten dort: ‚Ihr habt viel Böses getan. Ändert euer Leben!'" Aber Jona hat Angst. Er flieht zum Hafen und geht auf ein Schiff. Es fährt in ein fremdes Land.

Jona legt sich schlafen. Doch Gott schickt einen Sturm. Hohe Wellen bedrohen das Schiff. Die Seeleute rufen verzweifelt: „Hilfe! Das Schiff geht unter! Wir werden alle sterben!" Da wacht Jona auf.

Michael Landgraf, Kinder-Bibel zum Selbstgestalten. © 2007 Calwer Verlag / Deutsche Bibelgesellschaft, Stuttgart ³2011

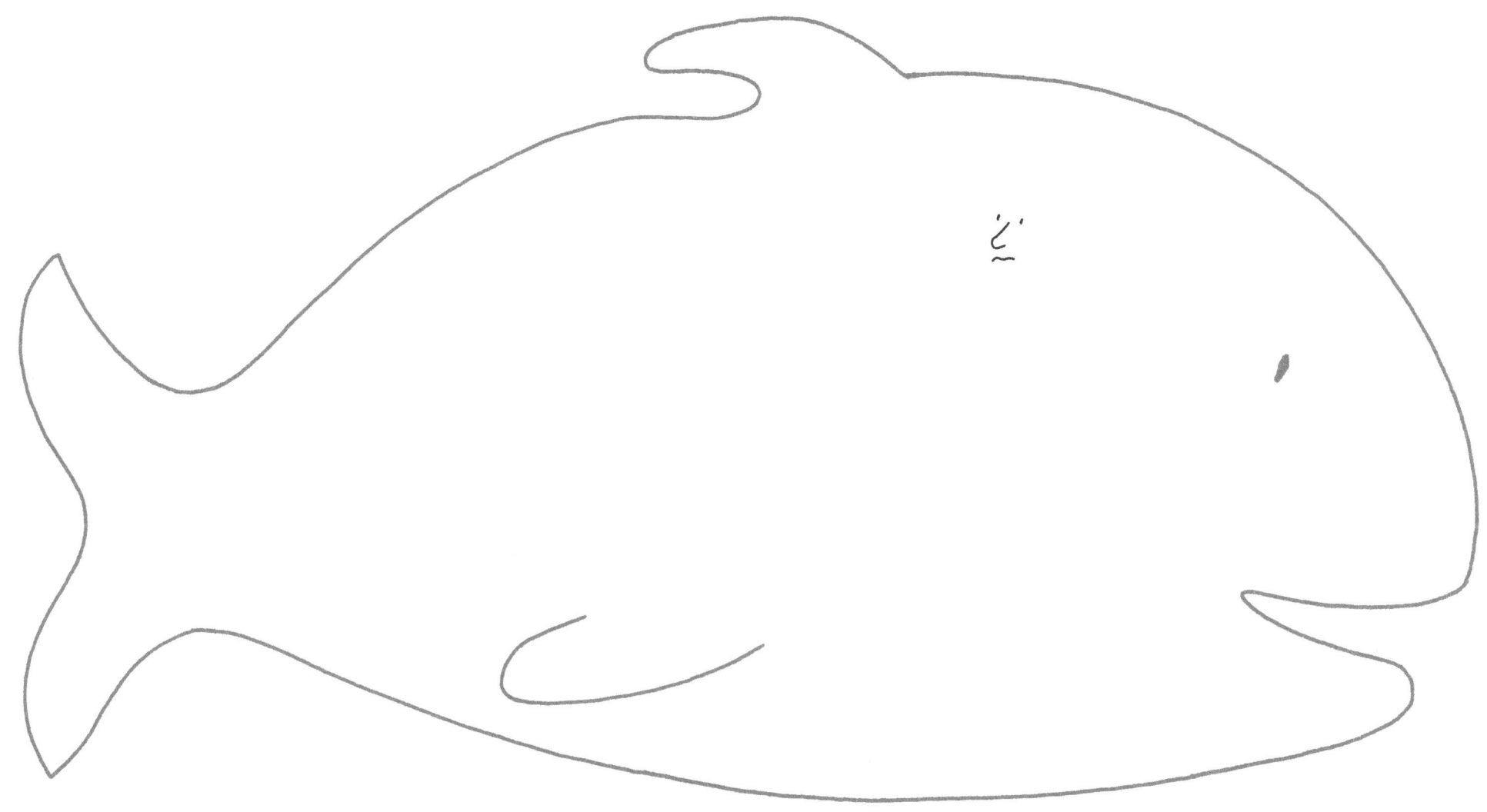

## Jona im Bauch des Fisches

Jona sieht die Gefahr und ruft: „Ich bin schuld an dem Sturm. Werft mich über Bord!" So werfen ihn die Seeleute ins Wasser. Gott schickt einen großen Fisch. Der verschluckt Jona.

Drei Tage sitzt Jona im Bauch des Fisches. Er betet zu Gott: „Du hast mich aus dem Wasser gerettet. Ich danke dir. Ich will tun, was du willst." Da sagt Gott zu dem Fisch: „Bringe Jona ans Ufer!"

## Jona geht nach Ninive

Nun endlich geht Jona in die Stadt Ninive. Er ruft den Leuten zu: „Gott sagt: Ihr sollt euer Leben ändern." Die Menschen hören auf Jona. Sie bereuen, was sie getan haben. Sie ändern ihr Leben.

Deshalb bestraft Gott sie nicht. Doch Jona ärgert sich und ruft zu Gott: „Warum zerstörst du die Stadt nicht? Die Menschen haben es doch verdient!"

Michael Landgraf, Kinder-Bibel zum Selbstgestalten. © 2007 Calwer Verlag / Deutsche Bibelgesellschaft, Stuttgart ³2011

## Gott liebt alle Menschen

Jona setzt sich vor der Stadt in die Sonne. Am liebsten würde er sterben. Gott lässt eine Pflanze über ihm wachsen. Sie spendet Jona Schatten. Doch dann schickt Gott einen Wurm und die Pflanze geht ein. Jetzt ärgert sich Jona noch mehr.

Da sagt Gott zu Jona: „Dir geht es nur um diese Pflanze. Aber mir geht es um die Menschen. Ich habe Mitleid mit ihnen." Jetzt versteht Jona: Gott meint es gut mit allen Menschen.

# Die Hoffnung der Menschen

Der Prophet Jesaja sieht in die Zukunft. Er schreibt:

> Das Volk, das im Dunkeln lebt,
> sieht ein großes Licht.
> Für alle, die keine Hoffnung haben,
> leuchtet ein Licht auf.
> Herr, du schenkst den Menschen große Freude.
> Du befreist sie.
> Denn ein Kind ist geboren,
> der zukünftige König ist uns geschenkt.
> Er sitzt auf dem Thron Davids.
> Er regiert als gerechter Herrscher
> von nun an und für immer.
>
> Ein grüner Zweig wächst aus einem Baumstumpf.
> Eines Tages wird es einen neuen König aus Davids Familie geben.
> Ihn wird Gott mit seinem Geist erfüllen.
> Ihm wird er seine Weisheit und Stärke schenken.
> Er hilft den Armen und überall wird Frieden herrschen.
> Wölfe werden mit Lämmern zusammen wohnen,
> und die Löwen werden Gras fressen wie die Rinder.
> Wie das Meer voll Wasser ist,
> so viele Menschen gibt es, die auf Gott hören.

Die Menschen behalten diese Worte im Gedächtnis. Sie vergessen sie nicht.
Sie hoffen, dass der Retter der Welt bald kommt.

Michael Landgraf, Kinder-Bibel zum Selbstgestalten. © 2007 Calwer Verlag / Deutsche Bibelgesellschaft, Stuttgart ³2011

# Geschichten aus dem Neuen Testament

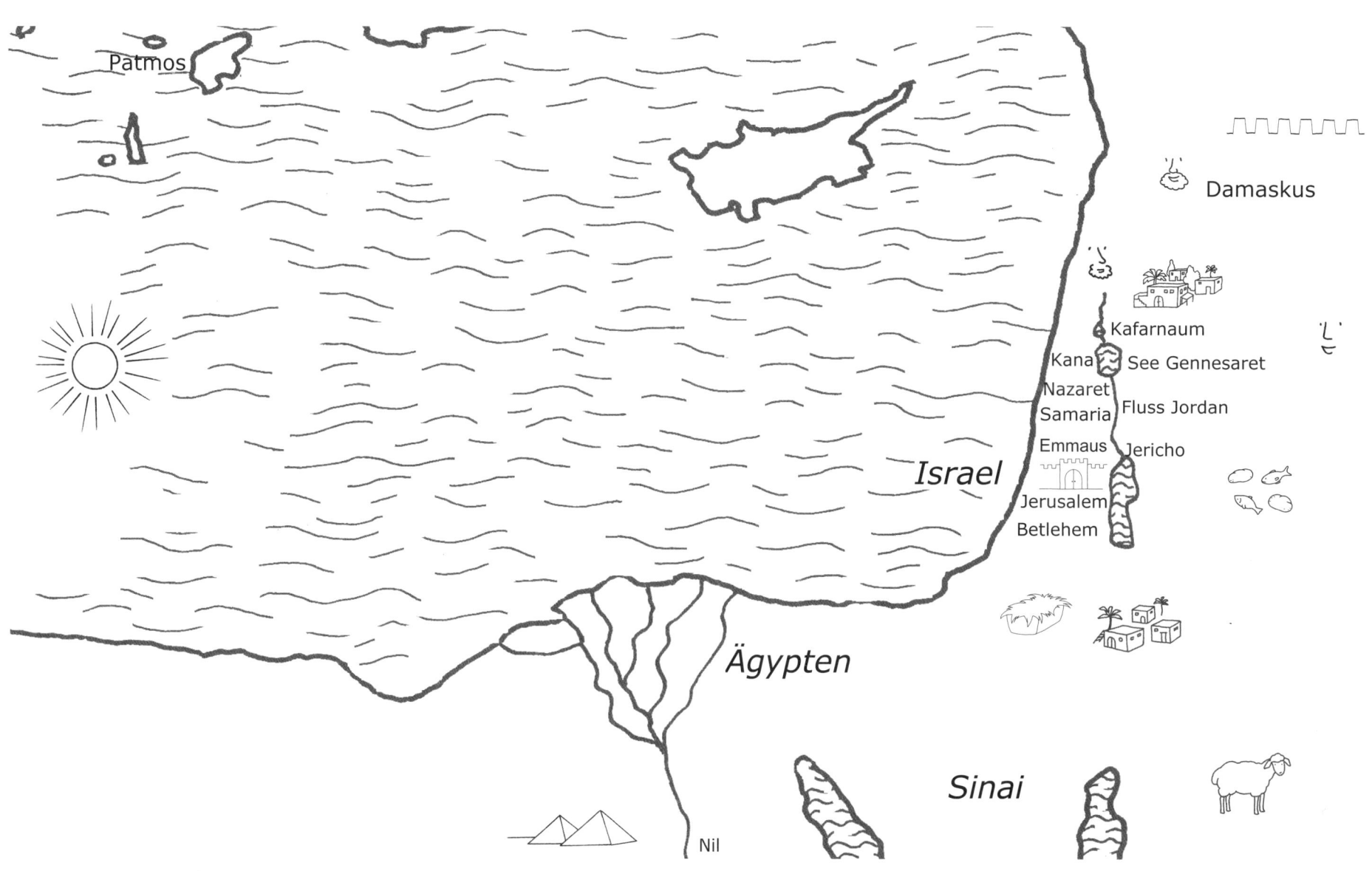

Patmos

Damaskus

Kafarnaum

Kana

See Gennesaret

Nazaret

Samaria

Fluss Jordan

Emmaus

Jericho

Israel

Jerusalem

Betlehem

Ägypten

Sinai

Nil

Michael Landgraf, Kinder-Bibel zum Selbstgestalten. © 2007 Calwer Verlag / Deutsche Bibelgesellschaft, Stuttgart ³2011

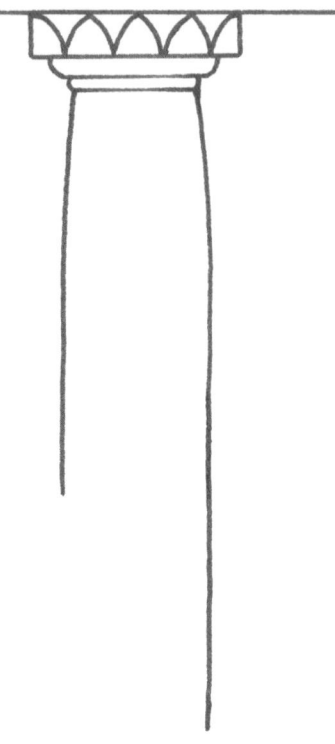

## Elisabet und Zacharias

Zacharias ist ein Priester im Tempel von Jerusalem. Er und seine Frau Elisabet sind schon alt. Sie haben kein Kind. Da kommt ein Engel zu Zacharias und sagt: „Fürchte dich nicht! Deine Frau wird ein Kind bekommen. Es soll Johannes heißen." Zacharias fragt: „Wie soll ich das glauben? Wir sind doch schon so alt." Der Engel antwortet: „Du wirst stumm sein, bis das Kind geboren wird." Sofort kann Zacharias nicht mehr reden. Bald darauf wird Elisabet schwanger. Beide freuen sich sehr auf das Kind.

Michael Landgraf, Kinder-Bibel zum Selbstgestalten. © 2007 Calwer Verlag / Deutsche Bibelgesellschaft, Stuttgart ³2011

## Ein Engel kündigt die Geburt von Jesus an

Maria ist mit Josef verlobt. Eines Tages kommt ein Engel zu ihr. Er sagt: „Gott hat Großes mit dir vor. Du wirst einen Sohn bekommen. Er soll Jesus heißen. Gott schickt ihn. Er ist der Retter der Menschen. Auch deine Verwandte Elisabet bekommt ein Kind, obwohl sie schon so alt ist. Für Gott ist nichts unmöglich."

Zuerst erschrickt Maria. Dann sagt sie: „Es soll so geschehen, wie Gott es will."

Michael Landgraf, Kinder-Bibel zum Selbstgestalten. © 2007 Calwer Verlag / Deutsche Bibelgesellschaft, Stuttgart ³2011

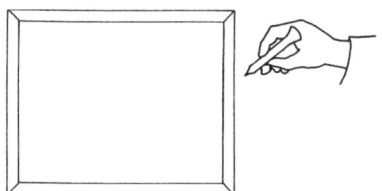

## Johannes wird geboren

Maria geht zu Elisabet. Die Frauen umarmen sich. Da hüpft das Kind im Bauch von Elisabet vor Freude. Elisabet ruft: „Gott hat dich gesegnet und auch das Kind in deinem Bauch!" Nach einigen Monaten kommt das Kind von Elisabet und Zacharias zur Welt. Die Verwandten sagen: „Der Junge soll Zacharias heißen wie sein Vater." Doch Zacharias schreibt den Namen „Johannes" auf eine Tafel. Plötzlich kann er wieder sprechen.
Er singt ein Lied: „Gelobt sei Gott. Mein Kind wird ein Prophet Gottes werden. Er wird dem Retter vorausgehen und ihm den Weg bahnen."

Michael Landgraf, Kinder-Bibel zum Selbstgestalten. © 2007 Calwer Verlag / Deutsche Bibelgesellschaft, Stuttgart ³2011

## Maria und Josef gehen nach Betlehem

Der römische Kaiser Augustus befiehlt: „Alle Leute in meinem Reich müssen gezählt werden. Jeder soll in die Stadt gehen, aus der seine Vorfahren kommen."

Josef kommt aus Betlehem. So muss er mit Maria dorthin ziehen. Aber der Weg ist weit und Maria bekommt bald ihr Kind.

Michael Landgraf, Kinder-Bibel zum Selbstgestalten. © 2007 Calwer Verlag / Deutsche Bibelgesellschaft, Stuttgart ³2011

## Jesus wird geboren

In Betlehem gehen Maria und Josef zu einer Herberge. Aber es ist kein Zimmer mehr frei. Sie müssen bei den Tieren schlafen.

In der Nacht kommt Jesus zur Welt. Maria wickelt ihren Sohn in Windeln. Aber sie hat kein Bett für das Kind. So legt sie Jesus in eine Futterkrippe.

Michael Landgraf, Kinder-Bibel zum Selbstgestalten. © 2007 Calwer Verlag / Deutsche Bibelgesellschaft, Stuttgart ³2011

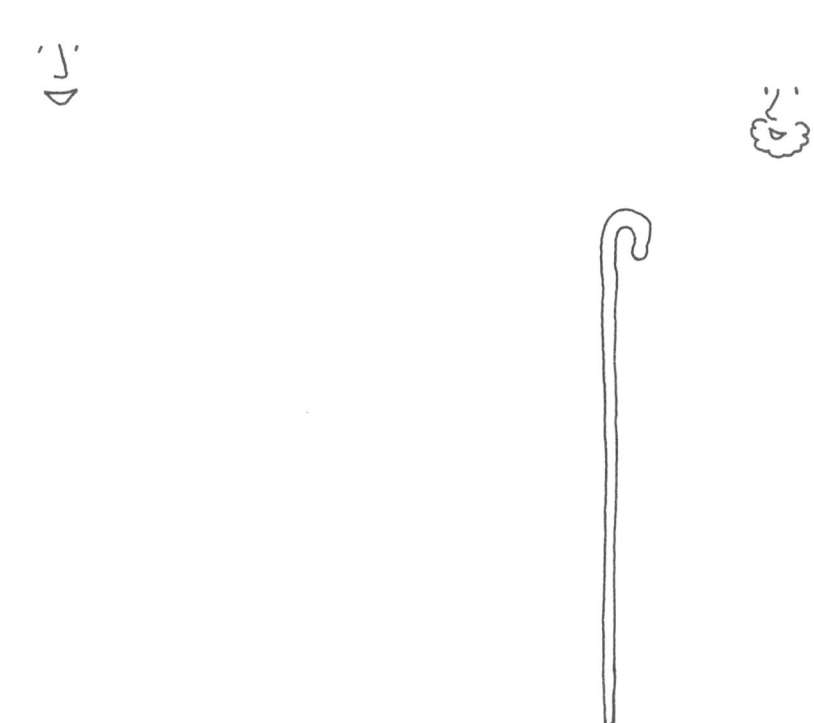

## Die Hirten auf dem Feld

Bei Betlehem hüten Hirten ihre Schafe. Mitten in der Nacht sehen sie ein helles Licht. Ein Engel kommt zu ihnen und sagt: „Fürchtet euch nicht! Ich bringe euch eine gute Nachricht. Heute ist euer Retter geboren. Ihr findet das Kind in einer Krippe." Dann sehen die Hirten noch mehr Engel. Sie singen: „Ehre sei Gott in der Höhe. Auf der Erde wird Frieden sein für alle Menschen."

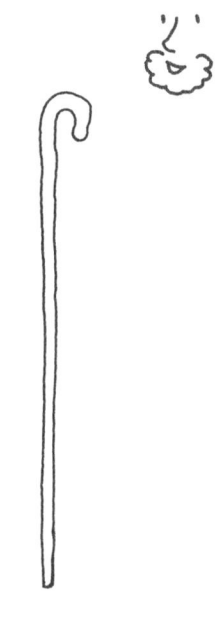

## Die Hirten kommen zu Jesus

Die Hirten laufen nach Betlehem. Dort finden sie das Kind. Es liegt in einer Futterkrippe.
Die Hirten freuen sich sehr. Sie erzählen allen: „Das Kind wird unsere Welt retten und Frieden bringen. Ein Engel hat es uns gesagt." Fröhlich gehen sie wieder zu ihren Schafen zurück. Sie loben Gott und danken ihm.

Michael Landgraf, Kinder-Bibel zum Selbstgestalten. © 2007 Calwer Verlag / Deutsche Bibelgesellschaft, Stuttgart ³2011

## Der Stern

In einem fernen Land entdecken weise Sterndeuter einen neuen Stern. Sie sagen: „Der Stern zeigt: In Israel ist ein König geboren worden." So ziehen sie nach Jerusalem und fragen: „Wo ist der neu-geborene König?" König Herodes hört das und erschrickt. Er allein will König sein. Listig sagt er zu den Weisen: „Sucht das Kind. Sagt mir dann, wo es ist. Auch ich will es besuchen."

## Die Sterndeuter finden Jesus

Der Stern führt die Sterndeuter nach Betlehem. Dort finden sie Jesus und seine Eltern. Die Sterndeuter freuen sich sehr und knien nieder. Dann schenken sie Jesus Gold, Weihrauch und Myrrhe. Das sind Geschenke für einen König.

Nun ziehen die Sterndeuter wieder nach Hause. Aber sie verraten König Herodes nicht, wo er Jesus finden kann.

Michael Landgraf, Kinder-Bibel zum Selbstgestalten. © 2007 Calwer Verlag / Deutsche Bibelgesellschaft, Stuttgart ³2011

## Josef, Maria und Jesus müssen fliehen

Herodes ist wütend. Er will Jesus töten lassen. Doch ein Engel warnt Josef. Mitten in der Nacht flieht er mit Maria und Jesus nach Ägypten. Erst nach langer Zeit kommen sie wieder zurück.

Da ist König Herodes schon gestorben. Maria, Josef und Jesus ziehen in das Dorf Nazaret. Dort wächst Jesus auf.

Michael Landgraf, Kinder-Bibel zum Selbstgestalten. © 2007 Calwer Verlag / Deutsche Bibelgesellschaft, Stuttgart ³2011

## Der zwölfjährige Jesus im Tempel

Jesus ist zwölf Jahre alt. Er geht mit seinen Eltern nach Jerusalem. Dort feiern sie das Passafest. Nach dem Fest ziehen die Eltern mit vielen Leuten wieder nach Hause. Am Abend suchen sie Jesus. Nirgends finden sie ihn.

So gehen sie den ganzen Weg nach Jerusalem zurück. Dort entdecken sie Jesus im Tempel. Er unterhält sich mit den gelehrten Männern.
Die Männer staunen und sagen: „Wie gut sich Jesus in den Heiligen Schriften auskennt!"

Michael Landgraf, Kinder-Bibel zum Selbstgestalten. © 2007 Calwer Verlag / Deutsche Bibelgesellschaft, Stuttgart ³2011

## Johannes tauft Jesus

Johannes lebt in der Wüste. Er hat Kleider aus Kamelhaaren an und isst Heuschrecken und wilden Honig.

Viele Leute kommen zu ihm. Johannes sagt zu ihnen: „Gott wird euch eure Schuld vergeben. Aber ihr müsst euer Leben ändern. Lasst euch im Fluss Jordan taufen."

Auch Jesus kommt zu Johannes. Johannes tauft ihn im Fluss. Da kommt eine Taube vom Himmel. Sie zeigt: Gott ist mit Jesus.

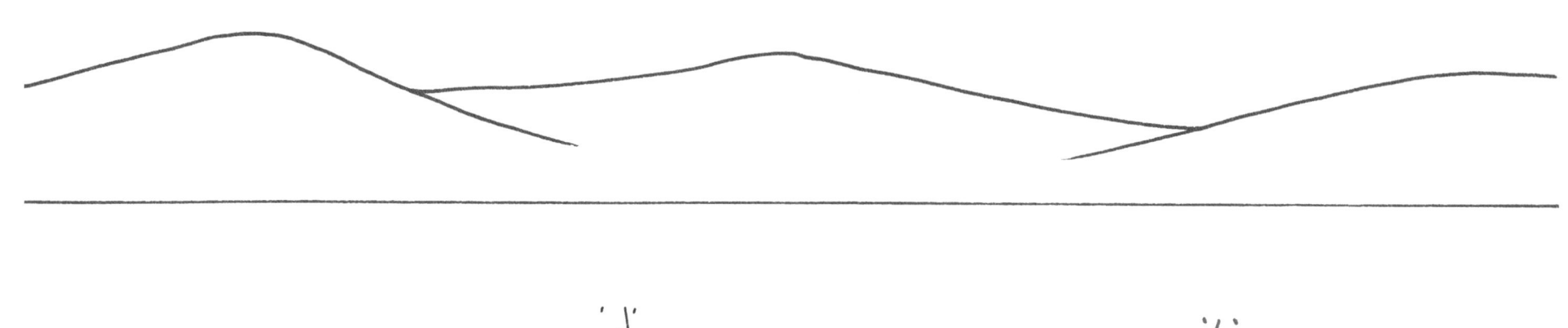

## Jesus trifft Simon

Jesus geht zum See Gennesaret. Dort trifft er den Fischer Simon. Jesus sagt zu ihm: „Fahr hinaus und wirf deine Netze aus." Simon sagt: „Wir haben schon die ganze Nacht gefischt und nichts gefangen. Aber ich will es gerne noch einmal versuchen."

Er fährt hinaus und fängt viele Fische. Alle wundern sich.
Jesus spricht zu Simon: „Komm mit mir! Von nun an wirst du Menschen fischen." Da geht Simon mit Jesus.

Michael Landgraf, Kinder-Bibel zum Selbstgestalten. © 2007 Calwer Verlag / Deutsche Bibelgesellschaft, Stuttgart ³2011

## Jesus findet viele Begleiter

Jesus findet zwölf Männer, die ihn begleiten. Das sind seine Jünger. Simon ist einer von ihnen. Jesus nennt ihn Petrus. Das bedeutet „Fels".

Die Jünger lernen viel von Jesus. Es gibt auch Frauen, die Jesus begleiten. Eine von ihnen ist Maria aus Magdala.

Michael Landgraf, Kinder-Bibel zum Selbstgestalten. © 2007 Calwer Verlag / Deutsche Bibelgesellschaft, Stuttgart ³2011

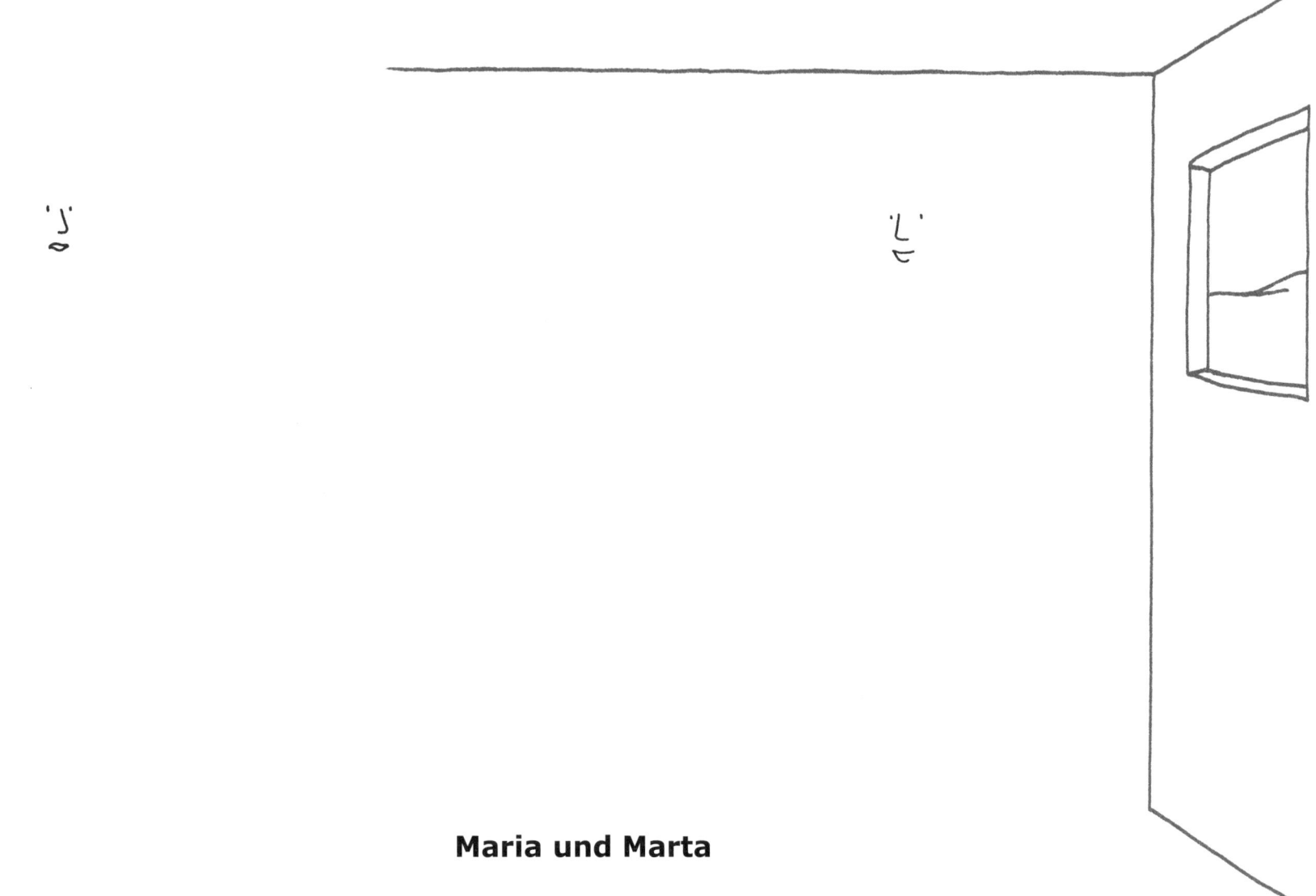

## Maria und Marta

Jesus besucht die Schwestern Maria und Marta. Beide freuen sich sehr. Maria setzt sich zu Jesus und hört ihm zu. Marta geht sofort in die Küche und richtet das Essen. Sie ärgert sich, dass Maria ihr nicht hilft.

Marta geht zu Jesus und sagt: „Ich muss die ganze Arbeit alleine machen. Findest du das gut?" Jesus schaut Marta freundlich an und sagt: „Marta, Marta! Du machst dir viel zu viele Sorgen. Maria macht es richtig. Sie nimmt sich Zeit für mich und meine Worte."

Michael Landgraf, Kinder-Bibel zum Selbstgestalten. © 2007 Calwer Verlag / Deutsche Bibelgesellschaft, Stuttgart ³2011

## Zachäus auf dem Baum

Zachäus ist ein Zöllner. Er nimmt für die Römer Geld ein. Aber er steckt auch etwas davon in seine eigene Tasche. Keiner mag Zachäus. Niemand will mit ihm zusammen sein. Da kommt Jesus in die Stadt.

Zachäus will Jesus unbedingt sehen. Aber er ist klein und die Leute versperren ihm die Sicht. So klettert er auf einen Baum. Jesus kommt vorbei und sieht zu ihm hinauf.

Michael Landgraf, Kinder-Bibel zum Selbstgestalten. © 2007 Calwer Verlag / Deutsche Bibelgesellschaft, Stuttgart ³2011

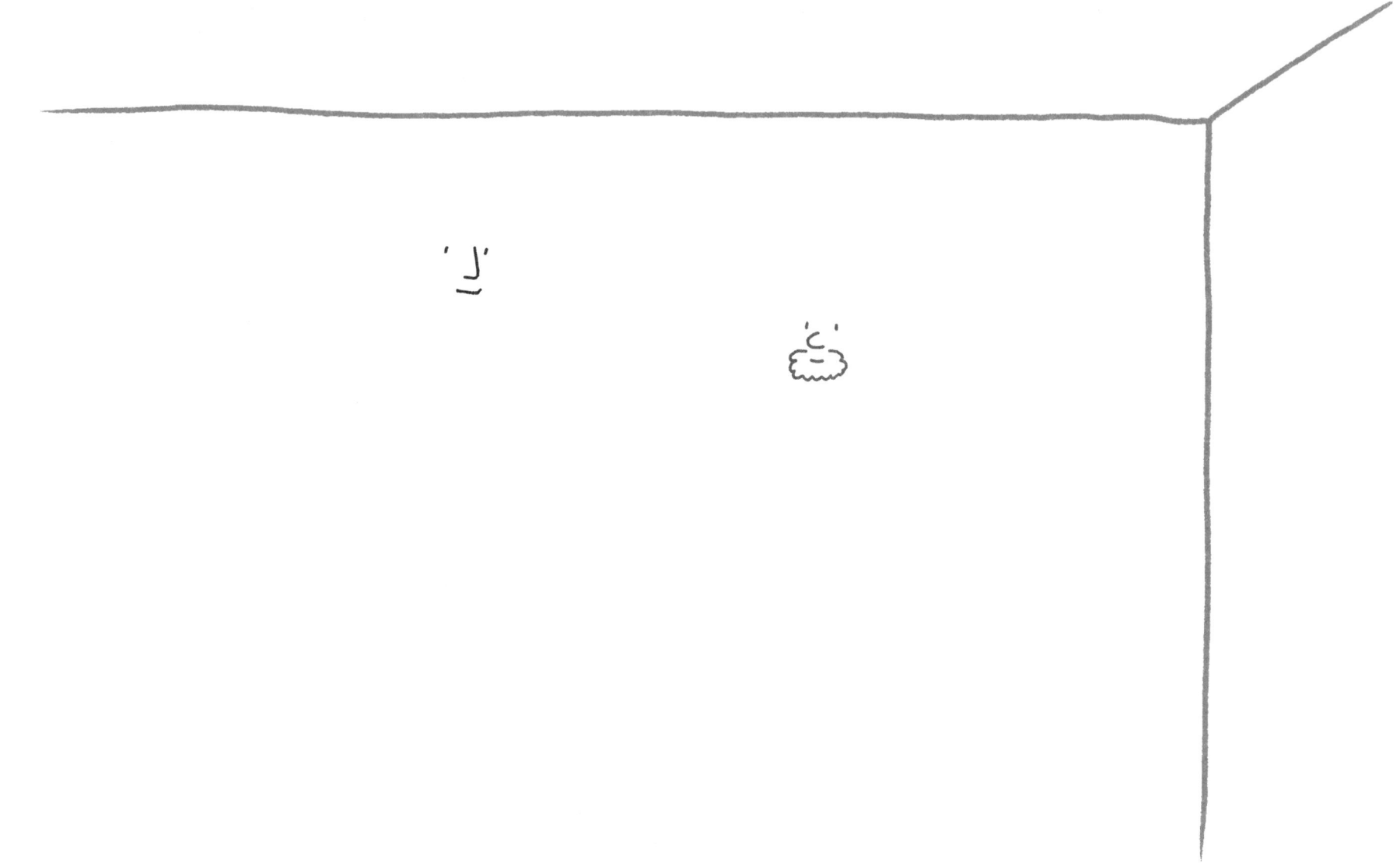

## Zachäus ändert sich

Jesus ruft: „Zachäus, darf ich heute bei dir essen?"
Die Leute sind empört: „Wie kann Jesus nur zu so
einem Menschen gehen?" Aber Zachäus freut sich.
Er nimmt Jesus mit zu sich nach Hause.

Dort sagt er: „Ich will den Armen die Hälfte von
meinem Besitz geben. Wen ich betrogen habe, der
bekommt sein Geld vierfach zurück."
Da sagt Jesus: „Gott freut sich über dich."

Michael Landgraf, Kinder-Bibel zum Selbstgestalten. © 2007 Calwer Verlag / Deutsche Bibelgesellschaft, Stuttgart ³2011

## Jesus und die Ehebrecherin

Jesus ist in Jerusalem. Da bringen die Leute eine Frau zu ihm. Sie rufen aufgeregt: „Diese Frau hat ihren Mann betrogen. Sie muss sterben."
Jesus bückt sich und malt etwas in den Sand. Ruhig sagt er: „Wer von euch ohne Sünde ist, der soll den ersten Stein auf sie werfen." Dann malt er weiter.

Nach einer Weile schaut er auf. Alle Leute sind verschwunden. Nur die Frau steht noch da.
Da sagt Jesus zu ihr: „Niemand hat dich verurteilt. So will ich dich auch nicht verurteilen. Gehe nun und sündige nicht mehr."

Michael Landgraf, Kinder-Bibel zum Selbstgestalten. © 2007 Calwer Verlag / Deutsche Bibelgesellschaft, Stuttgart ³2011

## Jesus und der Ruhetag

Am Ruhetag gehen Jesus und seine Jünger durch ein Feld. Die Jünger haben Hunger. Sie reißen Ähren ab und essen die Körner.

Da kommen Leute und sagen: „Jesus, was tun deine Jünger da? Am Ruhetag darf man nicht ernten!" Jesus sagt: „Wenn sie Hunger haben, müssen sie etwas essen. Die Menschen sind wichtiger als der Ruhetag."

Michael Landgraf, Kinder-Bibel zum Selbstgestalten. © 2007 Calwer Verlag / Deutsche Bibelgesellschaft, Stuttgart ³2011

## Jesus und die Kinder

Jesus und seine Jünger kommen in ein Dorf. Die Leute bringen ihre Kinder zu Jesus. Aber die Jünger schicken sie weg und sagen: „Stört Jesus nicht!" Da wird Jesus zornig und ruft: „Lasst die Kinder zu mir kommen. Sie sind Gott ganz nahe. Nehmt euch ein Beispiel an ihnen."

Jesus legt den Kindern die Hände auf den Kopf und segnet sie.

Michael Landgraf, Kinder-Bibel zum Selbstgestalten. © 2007 Calwer Verlag / Deutsche Bibelgesellschaft, Stuttgart ³2011

## Jesus heilt einen Aussätzigen

Ein Mann kommt zu Jesus. Er hat Aussatz. Das ist eine ansteckende Hautkrankheit. Keiner darf mit ihm zusammen sein. Der Mann fällt vor Jesus nieder und sagt: „Du kannst mich wieder gesund machen, wenn du willst."

Jesus berührt ihn und sagt: „Ich will es. Werde gesund!" Da wird der Mann gesund. Er freut sich sehr. Nun kann er wieder in seinem Dorf leben und mit seiner Familie zusammen sein. Jedem erzählt er: „Jesus kann Menschen heilen."

Michael Landgraf, Kinder-Bibel zum Selbstgestalten. © 2007 Calwer Verlag / Deutsche Bibelgesellschaft, Stuttgart ³2011

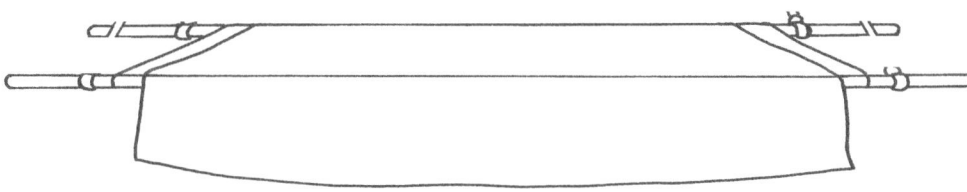

## Der Gelähmte

Viele Menschen kommen zu Jesus. Das Haus ist voll. Manche müssen draußen bleiben.
Vier Männer bringen einen Gelähmten auf einer Trage. Aber sie kommen nicht zu Jesus durch.

Da haben sie eine Idee. Sie steigen auf das Dach und machen ein Loch in die Decke. Dann lassen sie die Trage an Seilen hinunter.

Michael Landgraf, Kinder-Bibel zum Selbstgestalten. © 2007 Calwer Verlag / Deutsche Bibelgesellschaft, Stuttgart ³2011

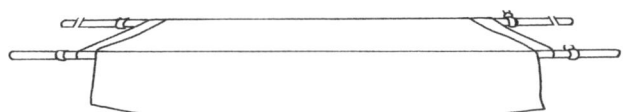

## Jesus heilt den Gelähmten

Jesus sieht den gelähmten Mann. Er sagt: „Deine Schuld ist dir vergeben. Nimm deine Trage und geh nach Hause."

Da steht der Gelähmte auf und geht. Manche Leute sind empört und rufen: „Jesus darf das nicht sagen. Nur Gott kann Schuld vergeben." Andere loben Gott und staunen: „So etwas haben wir noch nie gesehen."

Michael Landgraf, Kinder-Bibel zum Selbstgestalten. © 2007 Calwer Verlag / Deutsche Bibelgesellschaft, Stuttgart ³2011

## Jesus und die Tochter von Jairus

Jairus sagt zu Jesus: „Bitte komm in mein Haus. Meine kleine Tochter ist sehr krank." Jesus geht mit ihm. Sie kommen zum Haus von Jairus. Alle weinen. Das Mädchen ist gerade gestorben.

Jesus fragt: „Warum weint ihr denn? Das Mädchen ist nicht tot." Er nimmt es bei der Hand und sagt: „Mädchen, steh auf!" Da steht das Mädchen auf. Es lebt! Alle sind überglücklich.

## Der blinde Bartimäus

Jesus und seine Jünger kommen in die Stadt Jericho. Bartimäus sitzt am Straßenrand und bettelt. Er ist blind. Als Jesus vorbeikommt, ruft Bartimäus laut: „Jesus, komm zu mir! Hilf mir!"

Die Leute ärgern sich und sagen zu ihm: „Sei still! Halte Jesus nicht auf."
Aber Bartimäus schreit immer lauter.

Michael Landgraf, Kinder-Bibel zum Selbstgestalten. © 2007 Calwer Verlag / Deutsche Bibelgesellschaft, Stuttgart ³2011

## Jesus heilt Bartimäus

Jesus bleibt stehen und sagt: „Ruft ihn her."
Bartimäus geht zu ihm. Jesus fragt ihn: „Was willst
du?" Bartimäus antwortet: „Herr, ich will sehen
können." Da sagt Jesus: „Dein Vertrauen hilft dir."

Plötzlich kann Bartimäus alles sehen. Er sieht
Menschen, Häuser und den Himmel. Bartimäus ist
glücklich. Von nun an begleitet er Jesus.

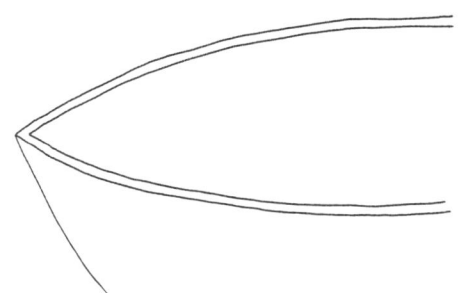

## Jesus im Sturm auf dem See

Jesus und seine Jünger fahren mit dem Boot über den See. Jesus schläft. Da kommt ein Sturm auf. Hohe Wellen bedrohen das Schiff. Die Jünger haben Angst. Sie wecken Jesus und rufen: „Hilfe! Wir gehen unter!" Da steht Jesus auf. Er ruft dem Sturm und den Wellen zu: „Seid still!"

Der Sturm und die Wellen beruhigen sich. Jesus fragt: „Warum habt ihr Angst? Ich bin doch bei euch."
Die Jünger staunen und sagen: „Sogar der Wind und die Wellen gehorchen Jesus!"

Michael Landgraf, Kinder-Bibel zum Selbstgestalten. © 2007 Calwer Verlag / Deutsche Bibelgesellschaft, Stuttgart ³2011

## Jesus gibt vielen Menschen zu essen

Viele Menschen kommen zu Jesus. Er redet lange mit ihnen. Am Abend haben alle Hunger. Jesus sagt zu seinen Jüngern: „Gebt den Menschen zu essen." Aber die Jünger haben nur fünf Brote und zwei Fische.

Jesus nimmt die Brote und die Fische und dankt Gott dafür. Dann sagt er zu seinen Jüngern: „Gebt allen davon."
Die Jünger teilen das Essen aus. Alle werden satt und es bleibt sogar noch etwas übrig.

Michael Landgraf, Kinder-Bibel zum Selbstgestalten. © 2007 Calwer Verlag / Deutsche Bibelgesellschaft, Stuttgart ³2011

## Die Hochzeit in Kana

Jesus und seine Mutter sind in Kana bei einer Hochzeit eingeladen. Alle feiern und sind fröhlich. Da geht der Wein aus. Maria sagt: „Jesus, es gibt keinen Wein mehr."

Jesus lässt die Krüge holen und sagt: „Füllt die leeren Krüge mit Wasser." Die Diener bringen die gefüllten Krüge zum Koch. Er trinkt daraus und fragt: „Woher kommt der gute Wein? Jetzt kann das Fest weitergehen!"

Michael Landgraf, Kinder-Bibel zum Selbstgestalten. © 2007 Calwer Verlag / Deutsche Bibelgesellschaft, Stuttgart ³2011

# Jesus tröstet

Viele Menschen kommen zu Jesus.
Alle wollen hören, was er zu sagen hat.
Jesus steigt auf einen Berg. Von dort spricht er zu ihnen:

„Freuen dürfen sich alle, die vor Gott arm sind.
Sie dürfen mit Gott in seiner neuen Welt wohnen.

Freuen dürfen sich alle, die traurig sind.
Gott wird sie trösten.

Freuen dürfen sich alle, die nach Gerechtigkeit hungern.
Gott wird sie satt machen.

Freuen dürfen sich alle, die barmherzig sind.
Gott wird auch mit ihnen barmherzig sein.

Freuen dürfen sich alle, die sich für den Frieden einsetzen.
Sie werden Gottes Kinder heißen."

# Jesus macht Mut

Jesus macht den Menschen Mut. Er sagt:

„Ihr seid das Salz für die Welt.
Ohne Salz fehlt dem Essen die Würze.

Ihr seid auch das Licht für die Welt.
Versteckt euer Licht nicht.

Lasst die Menschen eure guten Taten sehen.
So können sie Gott dafür danken."

Michael Landgraf, Kinder-Bibel zum Selbstgestalten. © 2007 Calwer Verlag / Deutsche Bibelgesellschaft, Stuttgart ³2011

# Wie wir miteinander umgehen sollen

Jesus sagt:

„Liebt eure Feinde.
Tut den Menschen Gutes, die euch Böses tun.

Schaut zuerst auf eure eigenen Fehler.
Dann könnt ihr die Fehler der anderen suchen.

Verurteilt andere nicht.
Sonst werdet ihr auch verurteilt.

Behandelt andere Menschen so,
wie ihr von ihnen behandelt werden wollt."

# Wie wir beten sollen

Jesus sagt zu den Menschen:
„Wenn ihr beten wollt, sollt ihr so beten:

Vater unser im Himmel!

Geheiligt werde dein Name.

Dein Reich komme,

dein Wille geschehe, wie im Himmel so auf Erden.

Unser tägliches Brot gib uns heute

und vergib uns unsere Schuld,

wie auch wir vergeben unseren Schuldigern.

Und führe uns nicht in Versuchung,

sondern erlöse uns von dem Bösen.

Denn dein ist das Reich und die Kraft

und die Herrlichkeit in Ewigkeit.

Amen."

Michael Landgraf, Kinder-Bibel zum Selbstgestalten. © 2007 Calwer Verlag / Deutsche Bibelgesellschaft, Stuttgart ³2011

# Jesus nimmt die Sorgen

Jesus sagt zu den Menschen:

„Macht euch nicht so viele Sorgen um euer Leben.
Seht euch die Vögel an.
Sie säen nicht, sie ernten nicht,
und sie sammeln keine Vorräte.
Aber euer Vater im Himmel sorgt für sie.
Ihr seid doch viel mehr wert als sie.

Seht euch die Blumen auf dem Feld an.
Sie arbeiten nicht und machen sich keine Kleider.
Aber nicht einmal König Salomo
war so schön angezogen wie sie.
Gott schenkt den Blumen so viel.
Vertraut ihm. Er wird auch für euch sorgen."

# Wer ist Jesus?

Wer ist Jesus? Jesus selbst sagt über sich:

„Ich bin das Licht für die Welt.
Wer mir folgt,
der tappt nicht mehr im Dunkeln.
Er hat das Licht und das Leben.

Ich bin der gute Hirte.
Ich kenne meine Schafe
und meine Schafe kennen mich.
Ich bin bereit, für meine Schafe zu sterben.

Ich bin der Weg und die Wahrheit
und das Leben.
Einen anderen Weg zum Vater gibt es nicht.

Ich bin der wahre Weinstock,
und mein Vater ist der Weingärtner."

Michael Landgraf, Kinder-Bibel zum Selbstgestalten. © 2007 Calwer Verlag / Deutsche Bibelgesellschaft, Stuttgart ³2011

## Jesus erzählt vom Sämann

Jesus erzählt: „Ein Bauer sät auf seinem Feld. Einige Samen fallen auf den Weg. Da kommen Vögel und picken sie auf. Einige Samen fallen auf steiniges Land. Die Sonne verbrennt die jungen Pflanzen. Einige Samen fallen unter die Sträucher. Sie haben keinen Platz und keine Sonne zum Wachsen. Aber einige Samen fallen auf gutes Land. Sie bringen schöne Ähren hervor.
Werden meine Worte auch bei euch auf fruchtbaren Boden fallen?"

Michael Landgraf, Kinder-Bibel zum Selbstgestalten. © 2007 Calwer Verlag / Deutsche Bibelgesellschaft, Stuttgart ³2011

## Jesus erzählt vom barmherzigen Samariter

Ein Mann fragt Jesus: „Was ist das wichtigste Gebot? Was will Gott von uns Menschen?" Jesus sagt: „Was hast du darüber in den heiligen Büchern gelesen?" Der Mann antwortet: „Darin steht: Du sollst Gott lieb haben und genauso deinen Nächsten und dich selbst." Jesus nickt. Der Mann fragt weiter: „Wer ist mein Nächster?"

Da erzählt Jesus: „Ein Mann reist von Jerusalem nach Jericho. Unterwegs wird er überfallen und schwer verletzt. Hilflos liegt er am Boden.

Michael Landgraf, Kinder-Bibel zum Selbstgestalten. © 2007 Calwer Verlag / Deutsche Bibelgesellschaft, Stuttgart ³2011

## Der Samariter hilft

Ein Priester und ein Tempeldiener aus seinem eigenen Volk kommen vorbei. Sie gehen einfach weiter. Dann kommt ein Fremder aus Samaria. Der Samariter hält an und kümmert sich um den Verletzten. Er hebt ihn auf seinen Esel und bringt ihn in eine Herberge. Dann gibt er dem Wirt Geld und sagt zu ihm: ‚Pflege den Verletzten, bis er wieder gesund ist.'"

Jesus fragt den Mann: „Wer ist hier der Nächste? Was denkst du?" Der Mann sagt: „Der barmherzige Samariter!" Da sagt Jesus: „Geh hin und tu dasselbe wie er."

Michael Landgraf, Kinder-Bibel zum Selbstgestalten. © 2007 Calwer Verlag / Deutsche Bibelgesellschaft, Stuttgart ³2011

## Jesus erzählt vom verlorenen Schaf

Jesus erzählt: „Ein Mann hat hundert Schafe. Abends merkt er: ‚Ein Schaf fehlt. Ich muss es suchen.' Er geht los und sucht das verlorene Schaf. Er sucht und sucht. Endlich findet er es.

Er ruft alle Nachbarn und Freunde zusammen und sagt: ‚Freut euch mit mir! Ich habe mein verlorenes Schaf gefunden.' So ist es auch mit Gott. Er freut sich über jeden Menschen, der wieder bei ihm ist."

Michael Landgraf, Kinder-Bibel zum Selbstgestalten. © 2007 Calwer Verlag / Deutsche Bibelgesellschaft, Stuttgart ³2011

## Jesus erzählt vom gütigen Vater

Jesus erzählt: „Ein Mann hat zwei Söhne. Der jüngere Sohn sagt zu ihm: ‚Vater, gib mir jetzt schon das Geld, das ich einmal von dir erbe.' Der Vater gibt es ihm. Der Sohn nimmt das Geld und zieht in ein fernes Land. Dort lebt er in Saus und Braus. Bald hat er das ganze Geld ausgegeben.

## Dem Sohn geht es schlecht

Der Sohn hat kein Geld mehr. Niemand will mehr etwas mit ihm zu tun haben. Er muss auf dem Feld Schweine hüten und hat großen Hunger. Aber er darf nicht einmal vom Futter der Schweine essen. Da denkt er: ‚Den Dienern meines Vaters geht es besser als mir. Ich will heimgehen und meinen Vater um Verzeihung bitten. Vielleicht kann ich als Diener für ihn arbeiten.' So macht er sich auf den Weg.

Michael Landgraf, Kinder-Bibel zum Selbstgestalten. © 2007 Calwer Verlag / Deutsche Bibelgesellschaft, Stuttgart ³2011

## Der Sohn kehrt heim

Der Vater sieht seinen Sohn schon von Weitem. Er läuft ihm entgegen und nimmt ihn in die Arme. Dann ruft er seinen Dienern zu: ‚Bereitet ein Festmahl vor. Das müssen wir feiern.'

Der ältere Bruder findet das ungerecht. Aber der Vater sagt zu ihm: ‚Freu dich doch mit mir. Dein Bruder war verloren, aber jetzt ist er wieder da. Sollen wir das nicht feiern?'"

Michael Landgraf, Kinder-Bibel zum Selbstgestalten. © 2007 Calwer Verlag / Deutsche Bibelgesellschaft, Stuttgart ³2011

## Jesus erzählt von den Arbeitern im Weinberg

Jesus erzählt: „Ein Bauer hat einen großen Weinberg. Früh am Morgen geht er auf den Marktplatz. Dort stehen viele Männer herum. Sie suchen Arbeit. Der Bauer sagt zu ihnen: ‚Arbeitet für mich. Ich zahle euch eine Silbermünze als Tageslohn.'

Auch am Mittag, am Nachmittag und am Abend geht er zum Marktplatz. Immer wieder holt er Arbeiter für seinen Weinberg.

Michael Landgraf, Kinder-Bibel zum Selbstgestalten. © 2007 Calwer Verlag / Deutsche Bibelgesellschaft, Stuttgart ³2011

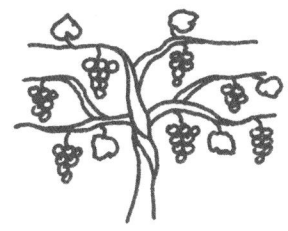

## Der Lohn für die Arbeiter im Weinberg

Am Abend gibt der Bauer jedem Arbeiter eine Silbermünze als Lohn. Da rufen die Arbeiter, die früh am Morgen angefangen haben: ‚Das ist ungerecht! Warum bekommen wir nicht mehr Lohn als die anderen? Wir haben doch viel länger gearbeitet!' Aber der Bauer sagt: ‚Ich habe euch ein Silberstück versprochen. Das habt ihr bekommen. Ich bin gerne großzügig. Ist das etwa ungerecht?'"

Michael Landgraf, Kinder-Bibel zum Selbstgestalten. © 2007 Calwer Verlag / Deutsche Bibelgesellschaft, Stuttgart ³2011

## Das große Festessen

Jesus ist zu einem Fest eingeladen. Jemand sagt zu ihm: „Wer von Gott eingeladen ist, darf sich freuen." Da erzählt Jesus: „Ein Mann lädt viele Gäste zu einem Festessen ein. Einer lässt ihm ausrichten: ‚Ich kann nicht kommen. Ich habe Land gekauft und will es mir ansehen.' Ein anderer sagt: ‚Ich habe Ochsen gekauft und will mit ihnen auf den Acker.' Ein Dritter hat gerade geheiratet.

Da sagt der Mann zu seinem Diener: ‚Gehe auf die Straße zu den Armen, Kranken und Ausgestoßenen. Sie alle sollen mit mir feiern. Für die anderen ist dann kein Platz mehr.' So geschieht es."

Michael Landgraf, Kinder-Bibel zum Selbstgestalten. © 2007 Calwer Verlag / Deutsche Bibelgesellschaft, Stuttgart ³2011

## Jesus zieht in Jerusalem ein

Jesus und die Jünger kommen nach Jerusalem. Sie wollen das Passafest feiern. Jesus reitet auf einem Esel. Viele Menschen stehen am Straßenrand. Sie breiten ihre Kleider auf der Straße aus.

Manche von ihnen schmücken die Straße mit Zweigen. Sie rufen: „Hosianna! Gepriesen sei Gott! Da kommt unser König."

Michael Landgraf, Kinder-Bibel zum Selbstgestalten. © 2007 Calwer Verlag / Deutsche Bibelgesellschaft, Stuttgart ³2011

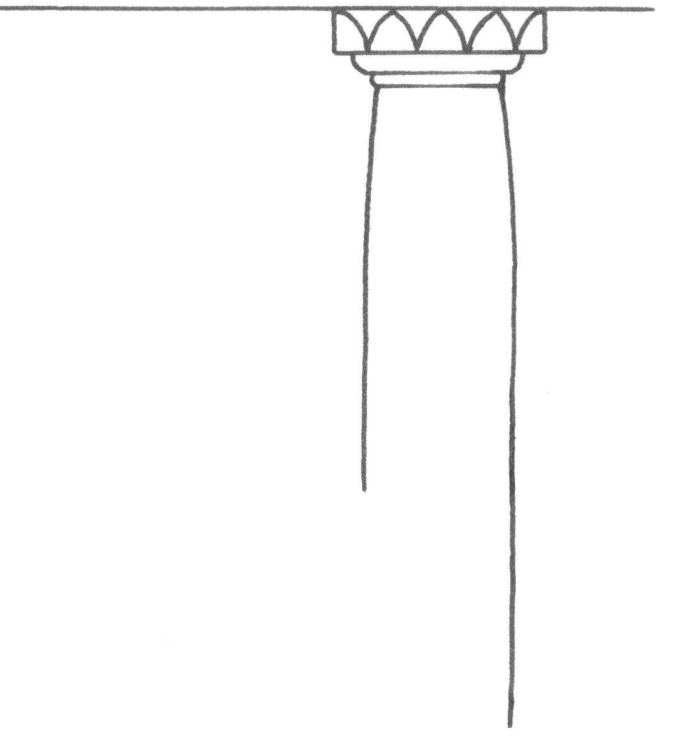

## Jesus vertreibt die Händler

Jesus und die Jünger sind in Jerusalem. Jesus geht in den Tempel. Im Vorhof des Tempels herrscht ein buntes Treiben. Viele Händler machen hier ihre Geschäfte. Jesus sieht sich das Treiben an und wird zornig. Er wirft die Tische und Stände um und ruft: „Der Tempel ist zum Beten da!"
Einige Leute sind empört: „Das ist ja unerhört. Wir müssen Jesus loswerden!"

Michael Landgraf, Kinder-Bibel zum Selbstgestalten. © 2007 Calwer Verlag / Deutsche Bibelgesellschaft, Stuttgart ³2011

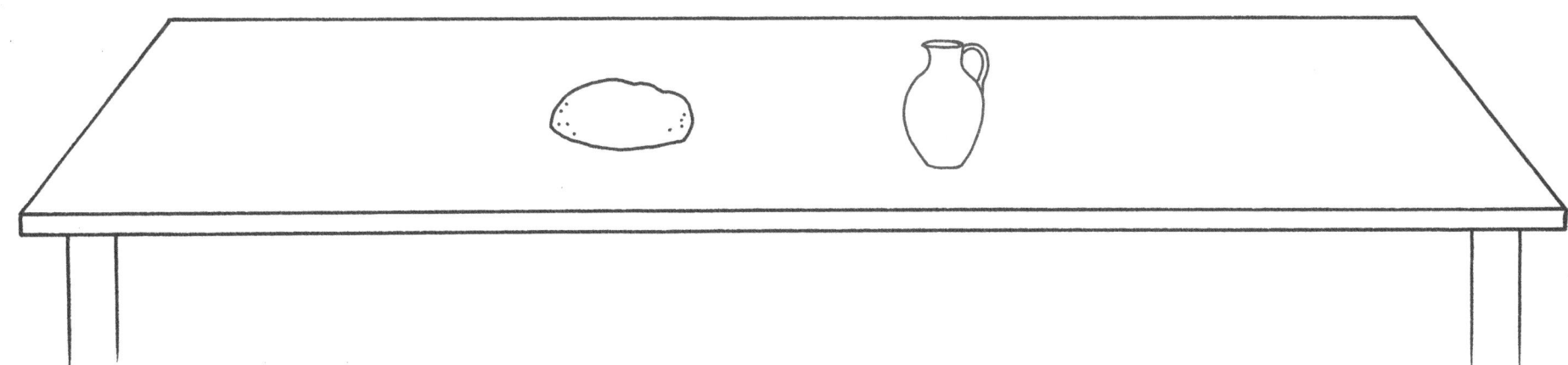

## Das letzte Abendmahl

Am Abend sitzen Jesus und seine Jünger beisammen. Jesus teilt Wein und Brot mit ihnen. Er sagt: „Das ist unser letztes gemeinsames Mahl.

Das Brot und der Wein sind mein Leben. Ich gebe es für euch. Denkt an mich, wenn ihr später Brot und Wein miteinander teilt."

## Jesus wäscht den Jüngern die Füße

Jesus ruft seine Jünger zu sich. Er kniet nieder und wäscht ihnen die Füße. Petrus fragt: „Jesus, was soll das?" Da sagt Jesus: „Ich diene euch gerne. Darum wasche ich euch die Füße. Auch ihr sollt euch gerne dienen. Einer soll für den anderen da sein."

Michael Landgraf, Kinder-Bibel zum Selbstgestalten. © 2007 Calwer Verlag / Deutsche Bibelgesellschaft, Stuttgart ³2011

## Im Garten Getsemani

Jesus und die Jünger gehen in den Garten Getsemani. Jesus setzt sich unter einen Olivenbaum und sagt: „Ich will zu Gott beten. Bleibt mit mir wach!"

Aber die Jünger sind müde und schlafen ein. Jesus weiß: Er muss sterben. So betet er: „Vater, ich habe Angst. Bitte erspare mir das Leiden. Aber alles soll geschehen, wie du es willst."

## Jesus wird verhaftet

Da kommen Soldaten in den Garten Getsemani. Sie sind mit Knüppeln und Schwertern bewaffnet. Bei ihnen ist Judas. Er ist ein Jünger von Jesus. Judas begrüßt Jesus mit einem Kuss.

Da wissen die Soldaten: Das ist Jesus. Sie packen ihn und nehmen ihn fest. Die Jünger bekommen Angst und laufen davon.

Michael Landgraf, Kinder-Bibel zum Selbstgestalten. © 2007 Calwer Verlag / Deutsche Bibelgesellschaft, Stuttgart ³2011

## Petrus will Jesus nicht mehr kennen

Petrus folgt Jesus und den Soldaten zum Haus des Obersten Priesters. Dort setzt er sich im Hof ans Feuer und wärmt sich. Eine Frau sieht ihn und sagt: „Du bist doch ein Jünger von Jesus!" Petrus sagt: „Ich kenne diesen Jesus nicht."

Noch zwei Mal sagt er das. Dann hört er einen Hahn krähen. Da erinnert sich Petrus. Jesus hat ihm am letzten Abend gesagt: „Dreimal wirst du sagen: Ich kenne Jesus nicht!" Traurig geht er fort.

Michael Landgraf, Kinder-Bibel zum Selbstgestalten. © 2007 Calwer Verlag / Deutsche Bibelgesellschaft, Stuttgart ³2011

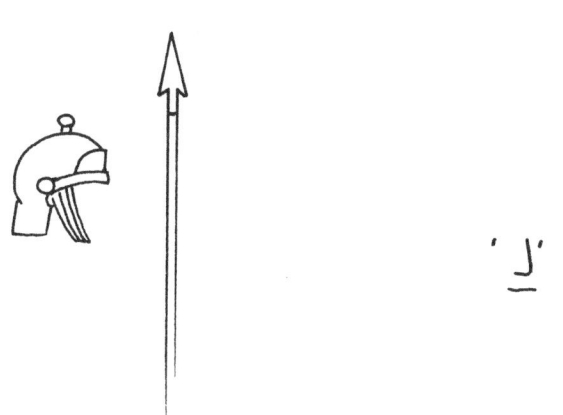

## Jesus wird verurteilt

Die Soldaten bringen Jesus zum Obersten Priester. Der fragt Jesus: „Bist du Gottes Sohn?"
Jesus antwortet: „Ich bin es."
Wütend ruft der Oberste Priester: „Jesus beleidigt Gott. Er muss sterben."

Die Soldaten bringen Jesus zu Pilatus. Er ist der Stellvertreter des römischen Kaisers in Jerusalem. Pilatus möchte Jesus nicht verurteilen. Aber die Leute rufen: „Jesus muss sterben! Kreuzigt ihn!" Da gibt Pilatus nach und Jesus wird abgeführt.

Michael Landgraf, Kinder-Bibel zum Selbstgestalten. © 2007 Calwer Verlag / Deutsche Bibelgesellschaft, Stuttgart ³2011

## Jesus stirbt am Kreuz

Die Soldaten führen Jesus vor die Stadt zum Hügel Golgota. Dort schlagen sie ihn ans Kreuz. Links und rechts von Jesus kreuzigen sie zwei Verbrecher. Der Himmel wird ganz dunkel.

Jesus ruft laut zu Gott. Dann stirbt er.
Der Hauptmann der Soldaten sagt: „Jesus war Gottes Sohn." Nahe beim Kreuz stehen Maria und andere Frauen. Sie weinen sehr.

Michael Landgraf, Kinder-Bibel zum Selbstgestalten. © 2007 Calwer Verlag / Deutsche Bibelgesellschaft, Stuttgart ³2011

## Das leere Grab

Jesus ist tot. Freunde legen ihn in ein Felsengrab. Sie rollen einen großen Stein vor den Eingang. Zwei Tage später kommen drei Frauen zum Grab. Der Grabstein ist weggerollt. Sie fürchten sich.

Im Grab sitzt ein Mann mit einem weißen Gewand. Er sagt: „Fürchtet euch nicht! Jesus ist nicht mehr hier. Er ist auferstanden. Geht zu den Jüngern und sagt es ihnen."

Michael Landgraf, Kinder-Bibel zum Selbstgestalten. © 2007 Calwer Verlag / Deutsche Bibelgesellschaft, Stuttgart ³2011

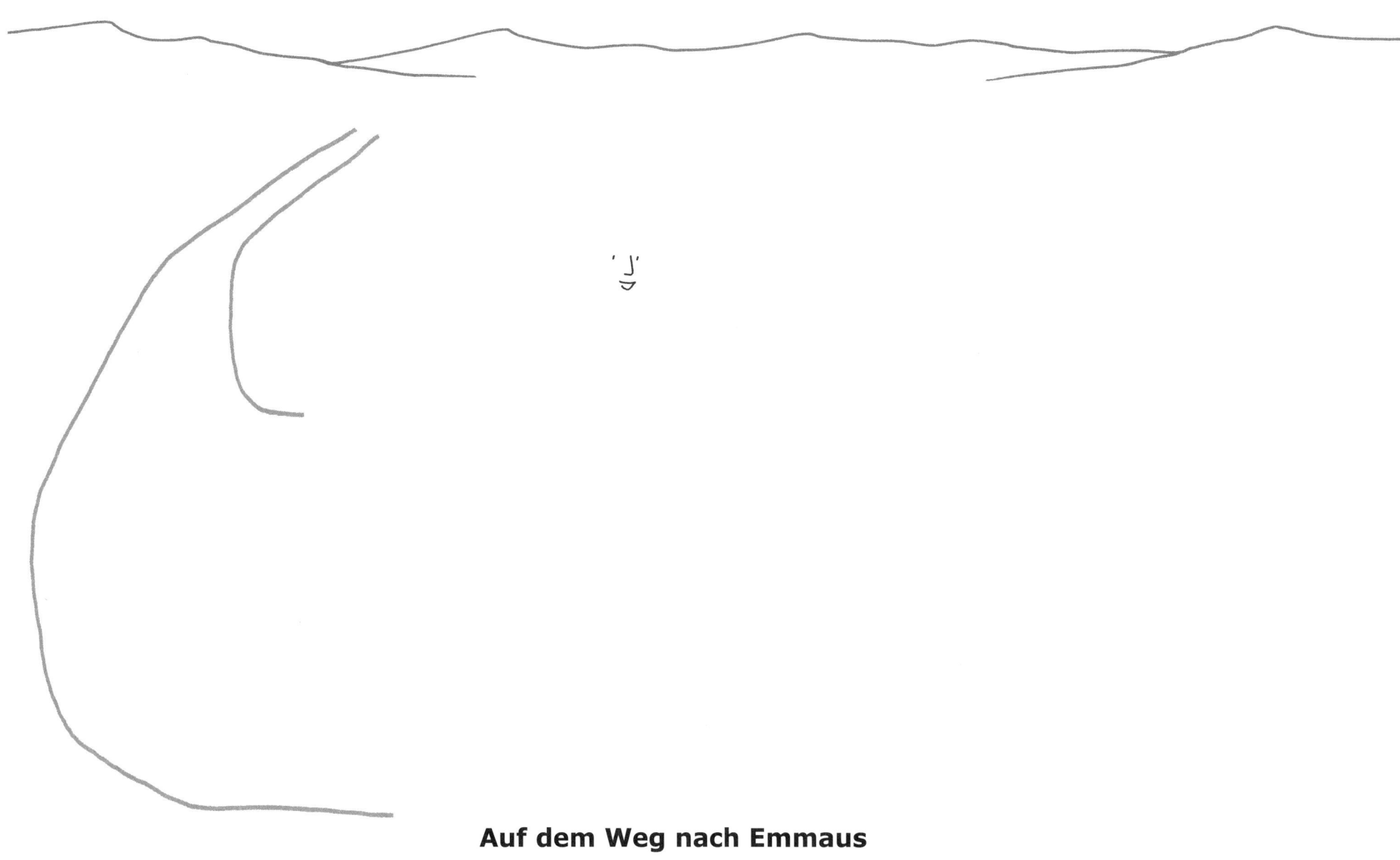

## Auf dem Weg nach Emmaus

Zwei Jünger sind auf dem Weg in das Dorf Emmaus. Sie sind traurig, weil Jesus gestorben ist. Da treffen sie einen Fremden. Es ist Jesus. Aber sie erkennen ihn nicht.

Sie erzählen ihm von Jesus und was mit ihm geschehen ist. Der Fremde tröstet die beiden Jünger. Als sie nach Emmaus kommen, bitten sie ihn: „Bald wird es Abend. Bleibe bei uns!"

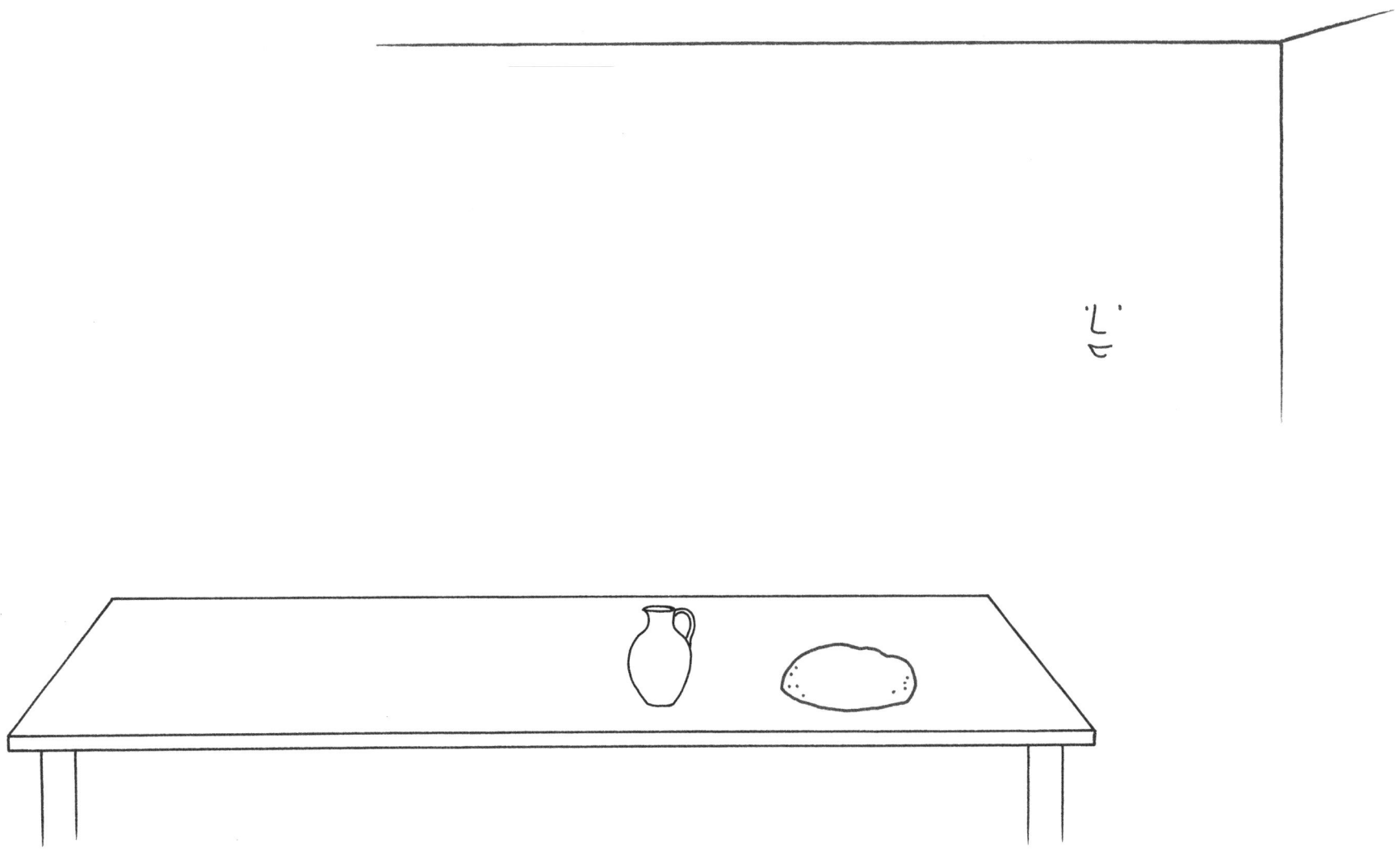

## Die Jünger erkennen Jesus

Die Jünger laden den Fremden zum Essen ein. Der Fremde nimmt das Brot und spricht ein Gebet. Er bricht es in Stücke und gibt es ihnen. Da merken die Jünger: „Das ist doch Jesus!"

In diesem Moment verschwindet Jesus. Schnell laufen die Jünger zurück nach Jerusalem. Auch die anderen Jünger sollen es wissen: Jesus lebt!

Michael Landgraf, Kinder-Bibel zum Selbstgestalten. © 2007 Calwer Verlag / Deutsche Bibelgesellschaft, Stuttgart ³2011

## Jesus zeigt sich seinen Jüngern in Jerusalem

Die zwei Jünger treffen die anderen Freunde von Jesus. Aufgeregt rufen sie: „Wir haben Jesus gesehen! Er lebt!" Da kommt Jesus hinzu. Er sagt: „Friede sei mit euch. Habt keine Angst. Gott hat mich wieder ins Leben geholt." Er zeigt ihnen seine Hände und seine Füße. Alle können seine Wunden sehen. Sie freuen sich und wissen: Jesus ist wieder bei ihnen.

# Jesus sendet seine Jünger in die Welt

Die Jünger gehen auf einen Berg.
Jesus kommt zu ihnen. Er sagt:

„Gott hat mich zum Herrscher

über den Himmel und die Erde gemacht.

Geht in die Welt hinaus.

Erzählt allen Menschen von mir.

Tauft sie, damit sie zu mir gehören.

Erzählt ihnen, was ihr von mir gelernt habt.

Ihr sollt wissen:

Ich bin immer bei euch,

bis an das Ende der Welt."

Michael Landgraf, Kinder-Bibel zum Selbstgestalten. © 2007 Calwer Verlag / Deutsche Bibelgesellschaft, Stuttgart ³2011

## Jesus geht zum Vater

Vierzig Tage lang ist Jesus bei seinen Jüngern. Dann sagt er: „Bleibt in Jerusalem und wartet auf Gottes Geist. Er kommt bald und hilft euch. Dann werdet ihr allen Menschen von mir erzählen."

Plötzlich sehen die Jünger Jesus nicht mehr. Zwei Männer in weißen Kleidern kommen zu ihnen und sagen: „Jesus ist jetzt bei seinem Vater im Himmel. Aber er kommt wieder auf die Erde."

Michael Landgraf, Kinder-Bibel zum Selbstgestalten. © 2007 Calwer Verlag / Deutsche Bibelgesellschaft, Stuttgart ³2011

## Gottes Geist kommt zu den Jüngern

Wenige Tage später sind alle Jünger in Jerusalem versammelt. Plötzlich hören sie ein mächtiges Rauschen. Es weht wie bei einem Sturm.

Über ihren Köpfen sehen sie Flammen wie von Feuer. Gottes Geist kommt und erfüllt die Jünger. In vielen verschiedenen Sprachen erzählen sie von Gott.

Michael Landgraf, Kinder-Bibel zum Selbstgestalten. © 2007 Calwer Verlag / Deutsche Bibelgesellschaft, Stuttgart ³2011

## Alle verstehen die Jünger

Menschen aus vielen Ländern sind nach Jerusalem gekommen. Sie hören das Rauschen. Sie laufen herbei und staunen. Jeder hört die Jünger in seiner eigenen Sprache reden!

Die Jünger erzählen von Gottes großen Taten. Manche Leute schütteln den Kopf und sagen: „Die sind ja betrunken!" Aber andere hören ihnen gerne zu. Sie sind begeistert und lassen sich taufen.

Michael Landgraf, Kinder-Bibel zum Selbstgestalten. © 2007 Calwer Verlag / Deutsche Bibelgesellschaft, Stuttgart ³2011

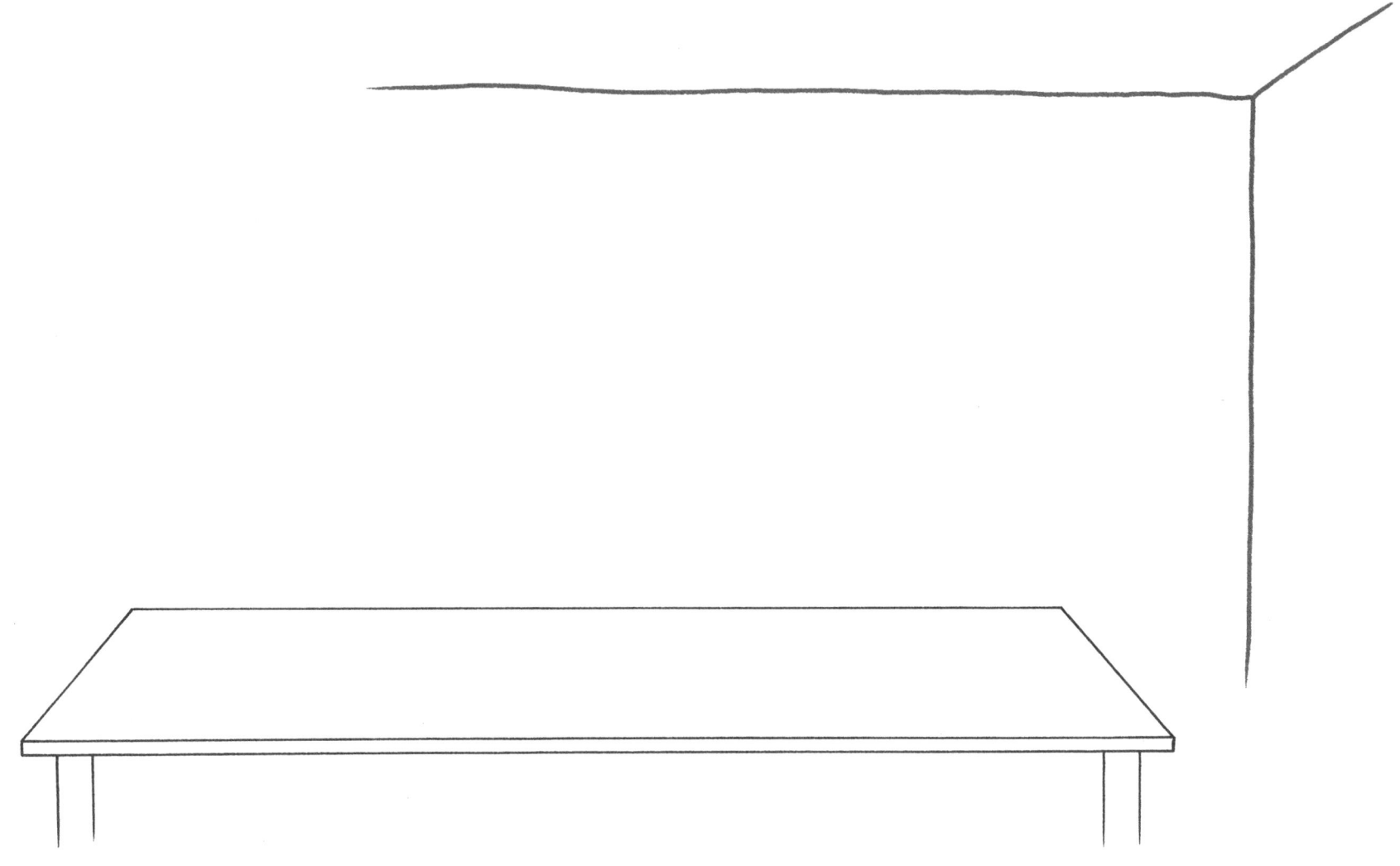

## Die Gemeinschaft der ersten Christen

Die Anhänger von Jesus nennen sich Christen. Jeden Tag kommen sie zusammen. Sie essen gemeinsam in ihren Häusern, so wie Jesus mit seinen Jüngern gegessen hat. Sie erzählen von Jesus und beten.

Reiche und arme Christen teilen alles miteinander. So muss keiner Not leiden.
Einige Christen gehen in die Welt hinaus und erzählen allen Menschen von Jesus. Das sind die Apostel.

 Michael Landgraf, Kinder-Bibel zum Selbstgestalten. © 2007 Calwer Verlag / Deutsche Bibelgesellschaft, Stuttgart ³2011

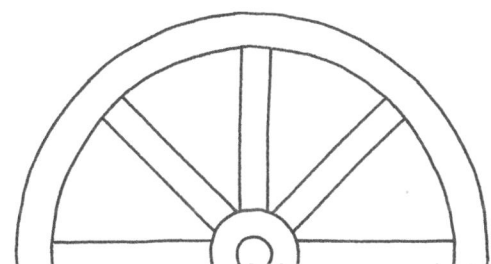

## Philippus trifft einen afrikanischen Minister

Philippus ist ein Christ. Ein Engel sagt zu ihm: „Geh zur Straße, die nach Süden führt." Dort trifft Philippus einen Afrikaner aus dem Land Äthiopien. Er ist ein Minister der Königin und kommt gerade aus Jerusalem.

Von dort hat er ein heiliges Buch mitgebracht. Jetzt sitzt er in seinem Wagen und liest.
Philippus schaut ihn an und fragt: „Verstehst du, was du liest?" Der Minister antwortet: „Das ist schwierig. Keiner erklärt es mir."

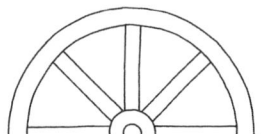

## Der Minister lässt sich taufen

Philippus sagt: „In dem heiligen Buch geht es um Jesus." Er erzählt dem Minister von ihm. Der Minister hört aufmerksam zu. Sie kommen an einer Wasserstelle vorbei. Der Minister sagt: „Was du über Jesus erzählst, gefällt mir. Ich will auch zu ihm gehören. Kannst du mich taufen?"
Sie steigen aus dem Wagen und Philippus tauft ihn. Voller Freude zieht der Minister weiter.

Michael Landgraf, Kinder-Bibel zum Selbstgestalten. © 2007 Calwer Verlag / Deutsche Bibelgesellschaft, Stuttgart ³2011

## Paulus begegnet Jesus

Paulus ist ein Feind der Christen. Er verfolgt sie und will sie ins Gefängnis bringen.

Eines Tages reist Paulus in die Stadt Damaskus. Da sieht er plötzlich ein helles Licht. Er fällt zu Boden und hört eine Stimme: „Paulus, warum verfolgst du mich?" Paulus fragt: „Wer bist du?" Die Stimme antwortet: „Ich bin Jesus!" Das helle Licht macht Paulus blind.

## Paulus wird Christ

Paulus kann nichts sehen. Er wird nach Damaskus gebracht. Drei Tage lang ist er blind. Er isst und trinkt nichts. Dann schickt Gott Hananias zu ihm. Hananias ist ein Christ. Gott sagt zu ihm: „Geh zu Paulus. Er soll mein Apostel sein." Hananias holt Paulus in sein Haus. Dort legt er ihm die Hände auf den Kopf. Da kann Paulus wieder sehen. Bald lässt er sich taufen und wird Christ.

Michael Landgraf, Kinder-Bibel zum Selbstgestalten. © 2007 Calwer Verlag / Deutsche Bibelgesellschaft, Stuttgart ³2011

## Paulus erzählt von Jesus

Paulus wird ein Apostel. Er macht weite Reisen. Überall geht er in Gotteshäuser und auf Marktplätze. Dort erzählt er den Leuten von Jesus. Eines Nachts hat Paulus einen Traum.

Ein Mann aus Griechenland winkt ihm zu und ruft: „Komm zu uns und hilf uns!" Da geht Paulus auf ein Schiff und fährt nach Griechenland. So kommt die Botschaft von Jesus nach Europa.

Michael Landgraf, Kinder-Bibel zum Selbstgestalten. © 2007 Calwer Verlag / Deutsche Bibelgesellschaft, Stuttgart ³2011

## Paulus im Gefängnis

Paulus geht in die Stadt Philippi. Viele Menschen hören gern von Jesus. Andere lehnen ihn ab. Sie lassen Paulus ins Gefängnis werfen. Aber Gott hilft Paulus.

In der Nacht gibt es ein gewaltiges Erdbeben. Die Gefängnismauern schwanken. Alle Türen springen auf. Der Gefängniswärter ist verzweifelt. Doch Paulus ruft: „Ich bin nicht geflohen. Vertraue auf Gott. Er wird dir helfen."

Der Wärter nimmt Paulus mit nach Hause. Paulus tauft ihn und seine ganze Familie.

Michael Landgraf, Kinder-Bibel zum Selbstgestalten. © 2007 Calwer Verlag / Deutsche Bibelgesellschaft, Stuttgart ³2011

## Paulus fährt nach Rom

Noch einmal wird Paulus gefangen genommen. Er soll verurteilt werden. Aber er sagt: „Ich bin ein römischer Bürger. Nur der Kaiser in Rom darf das Urteil über mich sprechen. Bringt mich nach Rom."
Unterwegs gerät sein Schiff in einen heftigen Sturm. Doch Paulus weiß: Gott ist mit mir. Das Schiff geht unter. Aber Paulus und die anderen Menschen an Bord können sich auf die Insel Malta retten.
Dann endlich kommt Paulus nach Rom. Auch dort erzählt er den Menschen von Jesus.

Michael Landgraf, Kinder-Bibel zum Selbstgestalten. © 2007 Calwer Verlag / Deutsche Bibelgesellschaft, Stuttgart ³2011

# Paulus schreibt über die Liebe

Überall macht Paulus Menschen zu Christen. Sie haben viele Fragen an ihn. Deshalb schreibt Paulus ihnen Briefe. Er schreibt: Gott liebt die Menschen und die Menschen sollen sich untereinander lieben. So hat auch Jesus selbst es gelehrt.

Ich bin sicher,
dass keine Macht der Welt
uns von der Liebe Gottes
trennen kann.

Wenn ich reden könnte wie ein Engel,
aber keine Liebe hätte,
so wäre ich wie ein tönender Gong.
Die Liebe ist geduldig und freundlich.
Sie spielt sich nicht auf und denkt nicht nur an sich selbst.
Sie trägt das Böse nicht nach und freut sich nicht,
wenn jemandem Unrecht geschieht.
Die Liebe gibt nicht auf.
Sie schenkt anderen Vertrauen
und hört nicht auf zu hoffen.

Glaube, Hoffnung, Liebe bleiben für immer.
Aber die Liebe ist die größte unter ihnen.

Michael Landgraf, Kinder-Bibel zum Selbstgestalten. © 2007 Calwer Verlag / Deutsche Bibelgesellschaft, Stuttgart ³2011

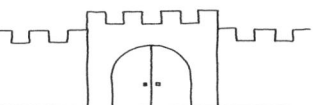

## Gottes neue Welt

Die Christen werden verfolgt. Der Prophet Johannes muss sich auf der Insel Patmos verstecken. Dort hat er einen Traum. Er sieht Gottes neue Welt. Er sieht ein neues Jerusalem. Es ist aus Gold gebaut und glänzt wie ein Edelstein.

In der Mitte der Stadt steht der Thron Gottes. Dort entspringt ein Fluss. An seinen Ufern wachsen Bäume wie im Paradiesgarten. Ihre Früchte können alle Krankheiten heilen.

## Gott wohnt bei den Menschen

Im neuen Jerusalem wohnt Gott mitten unter den Menschen. Er ist immer bei ihnen und wischt alle Tränen ab, die sie geweint haben.

Niemand ist mehr krank, allein und traurig. Nichts Böses geschieht. In Gottes neuer Welt scheint die Sonne für alle Menschen.

Michael Landgraf, Kinder-Bibel zum Selbstgestalten. © 2007 Calwer Verlag / Deutsche Bibelgesellschaft, Stuttgart ³2011